QUE SAIS-JE ?

Textes constitutionnels étrangers

STÉPHANE RIALS
Professeur agrégé des Facultés de Droit
à l'Université de Caen

Deuxième édition mise à jour

16e mille

DU MÊME AUTEUR

Les idées politiques du Président Georges Pompidou, PUF, 1977.
Administration et organisation (1910-1930), Beauchesne, 1977.
Le juge administratif français et la technique du standard, LGDJ, 1980.
La Présidence de la République, PUF (coll. « Que sais-je ? »), 2e éd., 1983.
Le Premier ministre, PUF (coll. « Que sais-je ? »), 1981 ; 2e éd., 1985.
Votre commune et la mort, Editions du Moniteur, 1981 (en collab. avec M. J.-F. Auby).
Exercices pratiques de droit constitutionnel, Montchrestien, 3e éd., 1981 (en collab. avec M. et Mme Wajsman).
Textes constitutionnels français, PUF (coll. « Que sais-je ? »), 1982 ; 2e éd., 1983.
Le légitimisme, PUF (coll. « Que sais-je ? »), 1983.
Textes politiques français, PUF (coll. « Que sais-je ? »), 1983.
Lois fondamentales et succession de France, Diffusion-Université-Culture, 1984 (en collab. avec MM. Barbey et Bluche) ; 2e éd., 1984.
Paris de Trochu à Thiers (1870-1873), *in* « Nouvelle histoire de Paris », Diff. Hachette, 1984.

A paraître :

Droit constitutionnel, PUF (coll. « Droit fondamental »).
Questions sur les révolutions françaises, Livre de Poche, Pluriel.
Textes sur l'administration française, PUF (coll. « Que sais-je ? »).
Le système politique des Etats-Unis, PUF (coll. « Que sais- je ?).

ISBN 2 13 038789 6

Dépôt légal — 1re édition : 1982
2e édition mise à jour : 1984, décembre

108, boulevard Saint-Germain, 75006 Paris

AVANT-PROPOS

On ne trouvera le plus souvent dans ce petit ouvrage que des extraits de textes constitutionnels larges (URSS et surtout RFA) ou moins larges (Suisse, Italie), voire très succincts (Espagne). Comme dans nos *Textes constitutionnels français*, nous avons avant tout songé, dans le choix de ces extraits, aux besoins des étudiants de première année des Facultés de Droit ou des Instituts d'Etudes politiques, qui sont les destinataires privilégiés de ces pages. Ils trouveront ici de quoi alimenter leur réflexion sur les principaux régimes qu'il leur faut étudier ainsi que sur les grands thèmes qui retiennent particulièrement l'attention de la doctrine contemporaine (démocratie semi-directe par exemple en Suisse ; fédéralismes classiques, suisse ou américain, ou plus contemporain, en Allemagne fédérale — agencement très sophistiqué dont les aspects financiers n'échapperont pas ; contrôle de constitutionnalité des lois, présent presque partout aujourd'hui dans le monde démo-libéral et dont l'importance a légitimé, à côté d'exemples devenus familiers, la place accordée à la jeune constitution espagnole ; techniques de rationalisation du parlementarisme, surtout en RFA et en Espagne, etc.).

Le cas de la Grande-Bretagne doit être mis à part ; dans la masse touffue des textes qui ont contribué au long de huit siècles à la constitution de son régime, le choix est malaisé et les passages retenus ne sauraient bien sûr rendre compte de la richesse de l'apport britannique au droit constitutionnel.

Enfin, du fait de l'importance particulière de ce document, nous avons souhaité proposer une traduction personnelle et complète de la Constitution des Etats-Unis, sans prétention aucune et avec le seul souci d'une fidélité rigoureuse, fût-ce au détriment de l'élégance.

Si nous avons pu utiliser à plusieurs reprises des traductions officielles — fournies par les instances responsables des pays intéressés —, nous voulons remercier avec beaucoup de chaleur ceux qui nous ont autorisé, parfois en nous suggérant une modification de détail, à reproduire leurs traductions personnelles ; MM. les professeurs Cadart (*Parliament Acts* de 1911 et 1949) et Lesage (Constitution soviétique), M. le professeur Duhamel et MM. Carcassonne et Vintro (Constitution espagnole). Et enfin Mme le professeur Grewe-Leymarie qui propose ici une traduction inédite d'extraits de la loi allemande de 1951 relative au Tribunal constitutionnel. A des titres divers, Mme Hoffnung et M. Vellay ont bien voulu nous apporter leur aide ; qu'ils en soient eux aussi remerciés.

Les textes reproduits sont à jour au printemps 1982.

Stéphane Rials.

CHAPITRE PREMIER

LA GRANDE-BRETAGNE

I. — Grande Charte (1)

Henri, par la grâce de Dieu, roi d'Angleterre, seigneur d'Irlande, duc de Normandie et d'Aquitaine, et comte d'Anjou, aux archevêques, évêques, abbés, prieurs, comtes, barons. vicomtes, préposés, officiers et baillifs, et à tous ses fidèles, qui verront la présente Charte, salut.

Sachez que nous, en contemplation de Dieu, pour le salut de notre âme et de celles de nos prédécesseurs et successeurs, pour l'exaltation de la sainte Eglise et pour la réformation de notre royaume, avons donné et accordé, de notre propre et bonne volonté, aux archevêques, évêques, abbés, prieurs, comtes, barons, et à tous ceux de notre royaume, les libertés spécifiées ci-dessous pour être par eux possédées dans notre royaume d'Angleterre, à perpétuité :

1. Avons, en premier lieu, accordé à Dieu et confirmé par la présente Charte, pour nous et nos héritiers à perpétuité, que l'Eglise d'Angleterre soit libre et jouisse de tous ses droits et libertés, sans qu'il y soit porté atteinte. Et avons aussi accordé à tous les hommes libres de notre royaume, pour nous et nos héritiers à perpétuité, toutes les libertés spécifiées ci-dessous, pour être possédées et conservées par eux et leurs héritiers comme les tenant de nous et de nos héritiers à perpétuité.

. . . .

8. Ni nous ni nos baillifs ne saisirons les terres et rentes de qui que ce soit pour dettes, tant que les biens meubles présents du débi-

(1) Le texte dont certains extraits sont présentés ici n'est pas celui de la Grande Charte de 1215, mais celui de celle accordée par Henri III le 11 février 1225. Ces deux textes latins sont très proches (comp. les originaux *in* Ch. BRÉMONT, *Chartes des libertés anglaises (1100-1305)*, Paris, Picard, 1892, pp. 24 ss. et pp. 45 ss.). Mais c'est le texte d'Henri III et non celui de Jean Sans Terre qui a été par la suite utilisé et confirmé. Aujourd'hui, la plupart des articles sont considérés comme abrogés et certains ne présentent qu'un intérêt limité. D'où le choix de ne reproduire qu'un petit nombre de dispositions. La traduction retenue est celle de F.-R. et P. DARESTE, *Les Constitutions modernes*, 4e éd. refondue par J. DELPECH et J. LAFERRIÈRE, Paris, Sirey, t. Ier, 1928, pp. 517 ss.

teur suffiront pour payer sa dette et que ce débiteur sera prêt à donner satisfaction sur ces biens; les cautions du débiteur ne seront point exécutées, tant que lui-même sera en état de payer (...).

9. La Cité de Londres jouira de toutes ses anciennes libertés et libres coutumes. En outre, nous voulons et concédons que toutes les autres cités, bourgs, villages, et les barons des cinq ports, et tous les ports, jouissent de toutes leurs libertés et libres coutumes.

10. Nul ne sera contraint à un service plus onéreux que n'en doit son fief de chevalier ou toute autre tenure libre.

. . . .

14. Un homme libre ne pourra être frappé d'amende *(amercietur)* pour un petit délit que proportionnellement à ce délit: il ne pourra l'être pour un grand délit que proportionnellement à la gravtié de ce délit, mais sans perdre son fief *(salvo contenemento suo)*. Il en sera de même des marchands auxquels sera laissé leur négoce. Les paysans des seigneurs autres que nous-même seront aussi frappés d'amende, s'ils viennent à l'encourir, sans perdre leurs instruments de labour; et aucune de ces amendes ne sera imposée que sur le serment de douze hommes probes et loyaux du voisinage.

Les comtes et barons ne pourront être frappés d'amende que par leurs pairs, et proportionnellement au délit commis.

Aucune personne ecclésiastique ne sera frappée d'amende selon la valeur de son bénéfice ecclésiastique, mais selon sa teneur laïque et l'importance du délit (2).

. . . .

17. Aucun vicomte, constable, coroner ou aucun de nos baillifs ne pourra tenir les plaids de la couronne.

. . . .

29. Aucun homme libre ne sera arrêté, ni emprisonné, ni dépossédé de sa libre tenure, de ses libertés ou libres coutumes, ni mis hors la loi *(utlagetur)*, ni exilé, ni molesté en aucune manière; et nous ne mettrons ni ne ferons mettre la main sur lui, si ce n'est en suite d'un jugement légal de ses pairs et selon la loi du pays.

Nous ne vendrons, ne refuserons ou ne différerons à personne le droit ou la justice (3).

30. Tous les marchands pourront, s'ils n'en ont antérieurement reçu la défense publique, librement et en toute sécurité, sortir de l'Angleterre et y entrer, y séjourner et y voyager, tant par terre que par eau, pour acheter ou vendre, suivant les anciennes et bonnes coutumes, sans qu'on puisse imposer sur eux aucune maltôte *(sine omnibus toltismalis)*, excepté en temps de guerre *(gwerre)*, ou quand ils seront d'une nation en guerre avec nous (...).

. . . .

(2) Ces deux derniers alinéas sont les 21e et 22e de la Grande Charte de 1215 (BRÉMONT, *op. cit.*, p. 53).

(3) Alinéa 10 de 1215.

II. — Statut « de tallagio non concedendo » (4) concernant le vote de la taille royale par le Parlement (octobre 1297)

1. Aucune taille ou aide ne sera imposée ou levée par nous ou nos héritiers, dans notre royaume, sans le consentement et la commune volonté des archevêques, évêques et autres prélats, comtes, barons, hommes d'armes, bourgeois et autres hommes libres du pays.

2. Aucun officier, soit de nous, soit de nos héritiers, ne pourra exiger du blé, des laines, des cuirs ou autres objets quelconques, sans la volonté et le consentement de celui auquel ces objets appartiennent.

3. Il ne sera rien prélevé sur les sacs de laine à titre de maltôte ou à cette occasion (...).

III. — Confirmation de la Grande Charte (5 novembre 1297) (5)

1. Edouard, par la grâce de Dieu, roi d'Angleterre, etc.

Sachez que pour l'honneur de Dieu et de la sainte Eglise, et pour le bien de notre royaume, nous avons garanti, pour nous et nos héritiers, que la Grande Charte des libertés et la Charte des forêts, qui furent faites du consentement commun de tout le royaume au temps du roi Henri notre père, seront maintenues en tous leurs points sans y rien changer (...).

2. Et voulons que, si nul jugement était d'aventure rendu à l'avenir contrairement aux dispositions desdites Chartes par nos juges et autres officiers, il soit tenu pour nul et non avenu.

. . . .

4. Et que les archevêques et évêques prononcent la sentence de grande excommunication contre tous ceux qui, par actions, aide

(4) Cette pièce ne se trouve pas dans les recueils authentiques du temps ; elle est néanmoins citée comme un statut dans le préambule de la *Petition of right* ; les juges de la Couronne eux-mêmes lui ont accordé cette valeur légale à partir de 1637, et l'édition révisée des Statuts la reproduit comme telle. Ecrite en latin, ce fut, en réalité, une pétition présentée au prince Edouard et au conseil royal dans le Parlement assemblé à Londres le 30 septembre 1297, et agréée dans la *Confirmatio Cartarum* par le prince le 10 octobre, puis confirmée par le roi le 5 novembre. « Alors même qu'on dénie toute authenticité au *Statutum de tallagio non concedendo*, il faut admettre, dit M. Brémont, *op. cit.*, p. 88, que ses dispositions méritaient d'être insérées parmi les lois constitutionnelles du royaume. » La traduction retenue est celle de Dareste, *op. cit.*, pp. 528 ss.

(5) L'original de la confirmation d'Edouard Ier est en vieux français (Brémont, *op. cit.*, pp. 96 ss.). La transcription ici retenue est celle de Dareste, *op. cit.*, pp. 529 ss.

ou conseils, agiraient contre lesdites Chartes ou les violeraient en quelque point (...).

5. Et, pour que nul dans notre royaume ne doute que les aides et charges qu'ils nous ont ci-devant payées pour nos guerres et autres besoins, de leur gré et bonne volonté, quelle qu'en soit la forme, puissent tourner en charge permanente pour eux et leurs héritiers, à raison de ce que leurs noms pourraient rester inscrits sur les rôles, et, de même, pour les levées faites dans le royaume par nos officiers en notre nom, nous avons garanti, pour nous et nos héritiers, que droits, charges ou taxes de cette nature ne se changeront pas en coutume, à raison de ce qui se serait passé précédemment, ou serait trouvé dans les rôles d'impôts ou ailleurs.

6. Et aussi nous avons garanti, pour nous et nos héritiers, aussi bien aux archevêques et évêques, abbés et prieurs, et autres membres de la sainte Eglise qu'aux comtes, barons et à tous les habitants du royaume, que pour aucun besoin désormais nous ne lèverons des aides, charges ou taxes, si ce n'est du commun consentement de tout le royaume et pour son avantage commun, excepté les anciennes aides et les charges dues et accoutumées.

7. Et comme la plus grande partie des habitants de ce royaume se trouve lésée gravement par la maltôte, à dire la taxe de quarante sous par sac de laine, et nous a prié de supprimer cet impôt, nous avons pleinement accueilli cette prière, et leur avons garanti, pour nous et nos héritiers, que nous ne lèverons plus pareil impôt sans leur commun consentement et leur volonté, réserve faite, pour nous et nos héritiers, des droits sur les laines, peaux et cuirs, qui ont été accordés par la communauté du royaume.

IV. — **Pétition des droits (7 juin 1628)** (6)

1. Les Lords spirituels et temporels et les Communes, assemblés en Parlement, représentent très humblement à notre souverain seigneur le Roi qu'il est déclaré et arrêté par un statut fait sous le règne d'Edouard Ier, et connu sous le nom de statut *de tallagio non concedendo*, que le roi ou ses héritiers n'imposeraient ni lèveraient de taille ou aide dans ce royaume sans le consentement des archevêques, évêques, comtes, barons, chevaliers, bourgeois et autres hommes libres des communes de ce royaume; que, par l'autorité du Parlement, convoqué en la 25e année du règne du roi Edouard III, il est déclaré et établi que personne ne pourrait être à l'avenir contraint de prêter malgré soi de l'argent au roi, parce que l'obligation était contraire à la raison et aux libertés du pays: que d'autres lois du royaume défendent de lever les charges ou aides connues sous le

(6) Texte rédigé par le Parlement et auquel le roi Charles Ier vint consentir en personne. Traduction de l'anglais *in* DARESTE, *op. cit.*, pp. 531 ss.

nom de don gratuit *(benevolence)* ou toutes autres impositions analogues ; que, par lesdits statuts ou autres bonnes lois de ce royaume, vos sujets ont hérité de cette franchise, à savoir qu'ils ne sauraient être contraints à participer à aucune taxe, taille, aide ni autre charge analogue, sans le commun consentement de la nation exprimé en Parlement.

2. Considérant néanmoins que, depuis peu, diverses commissions ont été données en plusieurs comtés à des officiers avec instructions en suite desquelles votre peuple a été assemblé en plusieurs endroits et requis de prêter certaines sommes d'argent à V. M. ; et que, sur le refus de quelques-uns, le serment leur a été déféré et l'obligation imposée de comparaître et se présenter, contrairement à l'ensemble des lois et des statuts de ce royaume, devant votre Conseil privé ou en d'autres lieux ; que d'autres ont été arrêtés et emprisonnés, troublés et inquiétés de différentes autres manières ; que maintes autres taxes ont été établies et levées sur vos sujets dans les comtés par les lords lieutenants, les lieutenants-députés, les commissaires aux revues, les juges de paix et autres, par ordre de V. M. ou de votre Conseil privé, contrairement aux lois et libres coutumes de ce royaume ;

3. Considérant qu'il est aussi arrêté et établi, par le statut dénommé *Grande Charte des libertés d'Angleterre*, qu'aucun homme libre ne pourra être arrêté ou mis en prison, ni dépossédé de son franc-fief, de ses libertés ou franchises, ni mis hors la loi ou exilé, ni molesté d'aucune autre manière, si ce n'est en vertu d'une sentence légale de ses pairs ou des lois du pays ;

4. Considérant qu'il a été aussi déclaré et institué, par autorité du Parlement en la 28e année du règne du roi Edouard III, que nulle personne, de quelque rang ou condition qu'elle soit, ne pourra être dépouillée de sa terre ou de ses tenures, ni arrêtée, emprisonnée, privée du droit de transmettre ses biens par succession, ou mise à mort, sans avoir été admise à se défendre dans une procédure régulière ;

5. Considérant néanmoins que, nonobstant ces statuts et autres règles et bonnes lois de votre royaume ayant la même fin, plusieurs de vos sujets ont été récemment emprisonnés sans que la cause en ait été indiquée ; que, lorsqu'ils furent conduits devant vos juges, conformément aux bills de V. M. sur l'*habeas corpus*, pour être statué par la cour ce qu'il appartiendrait, et lorsque leurs geôliers furent sommés de faire connaître les causes de la détention, ceux-ci n'ont donné d'autres raisons de l'arrestation qu'un ordre spécial de V. M. notifié par les lords de votre Conseil privé (...) ;

6. Considérant que des détachements considérables de soldats et de matelots ont été récemment dispersés dans plusieurs comtés du royaume, et que les habitants ont été contraints de les recevoir et héberger malgré eux, contrairement aux lois et coutumes de ce royaume (...) ;

7. Considérant qu'il a été aussi affirmé et arrêté, par autorité du Parlement en la 25e année du règne du roi Edouard III, que per-

sonne ne pourrait être condamné à mort ou à la mutilation contrairement aux formes indiquées dans la Grande Charte et les lois du pays; et que, par ladite Grande Charte et les autres lois et statuts de votre royaume, aucun homme ne doit être condamné à mort, si ce n'est en vertu des lois établies dans le royaume ou des coutumes qui y sont en vigueur ou d'un Act du Parlement; que, d'autre part, aucun criminel, de quelque condition qu'il soit, ne peut être exempté des formes de la justice ordinaire, ni éviter les peines infligées par les lois et les statuts du royaume; que néanmoins, depuis peu, plusieurs commissions données sous le grand-sceau de V. M. ont investi certains individus de commissions avec mandat et pouvoir de procéder, conformément à la loi martiale, contre les soldats ou matelots ou autres personnes qui se seraient jointes à eux pour commettre quelque meurtre, vol, félonie, sédition ou autre crime ou délit quelconque, de connaître sommairement de ces causes, et de juger, condamner, exécuter et mettre à mort les coupables (...);

. . . .

10. A ces causes, ils supplient humblement Votre très excellente Majesté que nul, à l'avenir, ne soit contraint de faire aucun don gratuit, prêt d'argent, ni présent volontaire, ni de payer aucune taxe ou impôt quelconque, hors le consentement commun donné par Act du Parlement; que nul ne soit appelé en justice, ni obligé à prêter serment, ni contraint à un service, ni arrêté, inquiété ou molesté à l'occasion de ces taxes ou du refus de les acquitter; qu'aucun homme libre ne soit arrêté ou détenu de la manière indiquée plus haut; qu'il plaise à V. M. faire retirer les soldats et matelots dont il est ci-dessus parlé, et empêcher qu'à l'avenir le peuple soit opprimé de la sorte: que les commissions chargées d'appliquer la loi martiale soient révoquées et annulées, et qu'il n'en soit plus délivré de semblables à quiconque, de peur que, sous ce prétexte, quelques-uns de vos sujets ne soient molestés ou mis à mort contrairement aux lois et franchises du pays;

11. Lesquelles choses ils demandent toutes humblement à V. M. comme étant leurs droits et leurs libertés selon les lois et les statuts de ce royaume: et ils supplient aussi V. M. de dire que tout ce qui s'est fait à cet égard, procédures, sentences et exécutions, au préjudice de votre peuple ne tirera point pour l'avenir à conséquence ou à exemple, et pareillement de déclarer gracieusement, pour la plus grande satisfaction et sûreté de votre peuple, que votre intention et volonté royale est que, dans les choses ci-dessus déduites, vos officiers et ministres vous servent conformément aux lois et statuts de ce royaume, et qu'ils aient en vue l'honneur de V. M. et la prospérité de ce royaume.

Réponse du roi :

Soit droit fait comme il est désiré *(en français)*.

V. — Bill du droit (13 février 1689) (7) (8)

I. Attendu qu'assemblés à Westminster, les Lords spirituels et temporels et les Communes, représentant légalement, pleinement et librement toutes les classes du peuple de ce royaume, ont fait, le 30 février de l'an de N. S. 1688, en la présence de Leurs Majestés, alors désignées et connues sous les noms de Guillaume et Marie prince et princesse d'Orange, une déclaration par écrit, dans les termes suivants (...) (9).

Considérant que, l'abdication du ci-devant Jacques II ayant rendu le trône vacant, Son Altesse le prince d'Orange (dont il a plu à Dieu Tout-Puissant faire le glorieux instrument qui devait délivrer ce royaume du papisme et du pouvoir arbitraire) a fait, par l'avis des Lords spirituels et temporels et de plusieurs personnes notables des Communes, adresser des lettres aux Lords spirituels et temporels protestants, et d'autres lettres aux différents comtés, cités, universités, bourgs et aux cinq ports, pour qu'ils eussent à choisir des individus capables de les représenter dans le Parlement qui devait être assemblé et siéger à Westminster le 22e jour de janvier 1688, aux fins d'aviser à ce que la religion, les lois et les libertés ne pussent plus dorénavant être en danger d'être renversées ; qu'en vertu desdites lettres les élections ont été faites ;

Dans ces circonstances lesdits Lords spirituels et temporels et les Communes, aujourd'hui assemblés en vertu de leurs lettres et élections, constituant ensemble la représentation pleine et libre de la nation, et considérant gravement les meilleurs moyens d'atteindre le but susdit, déclarent d'abord (comme leurs ancêtres ont toujours fait en pareil cas), pour assurer leurs anciens droits et libertés : 1° Que le prétendu pouvoir de l'autorité royale de suspendre les lois ou l'exécution des lois sans le consentement du Parlement est illégal ; 2° Que le prétendu pouvoir de l'autorité royale de dispenser des lois ou de l'exécution des lois, comme il a été usurpé et exercé par le passé, est illégal (...) ; 4° Qu'une levée d'argent pour la Couronne ou à son usage, sous prétexte de prérogative, sans le consentement du Parlement, pour un temps plus long et d'une manière autre qu'elle n'est ou ne sera consentie par le Parlement, est illégale ; 5° Que c'est un droit des sujets de présenter des pétitions au roi, et que tous emprisonnements et poursuites à raison de ces pétitionnements sont illégaux ; 6° Que la levée et l'entretien d'une armée dans le royaume, en temps de paix, sans le consentement du Parlement, est contraire à la loi (...) ; 8° Que les élections des membres du Parlement doivent être libres ; 9° Que la liberté de la parole, ni celle des débats ou procédures dans le sein du Parlement, ne peut être entravée

(7) Traduction Dareste, *op. cit.*, pp. 534 ss.
(8) Pour une traduction de l'Acte d'*Habeas Corpus* de 1679, voir E. Laferrière, *Les Constitutions d'Europe et d'Amérique*, Paris, Cotillon, 1869, pp. 469 ss.
(9) Enumération des griefs contre le roi Jacques II.

ou mise en discussion en aucune cour ou lieu quelconque autre que le Parlement lui-même (...) ; 13° Qu'enfin, pour remédier à tous griefs, et pour l'amendement, l'affermissement et l'observation des lois, le Parlement devra être fréquemment réuni.

Et ils requièrent et réclament avec instance toutes les choses susdites comme leurs droits et libertés inconstestables ; et aussi qu'aucunes déclarations, jugements, actes ou procédures, ayant préjudicié au peuple en l'un des points ci-dessus, ne puissent en aucune manière servir à l'avenir de précédent ou d'exemple,

Etant particulièrement encouragés par la déclaration de Son Altesse le prince d'Orange à faire cette réclamation de leurs droits considérée comme le seul moyen d'en obtenir complète reconnaissance et garantie (...).

II. Lesdits Lords spirituels et temporels et les Communes, assemblés à Westminster, arrêtent que Guillaume et Marie, prince et princesse d'Orange, sont et restent déclarés roi et reine d'Angleterre, de France (10) et d'Irlande, et des territoires qui en dépendent *(dominions)* (...) (11).

. . . .

V. Et il a plu à leurs Majestés que lesdits Lords spirituels et temporels et les Communes, formant les deux Chambres du Parlement, continueraient à siéger et arrêteraient conjointement avec leurs Majestés royales un règlement pour l'établissement de la religion, des lois et des libertés de ce royaume, afin qu'à l'avenir ni les unes ni les autres ne pussent être de nouveau en danger d'être détruites ; à quoi lesdits Lords spirituels et temporels et les Communes ont donné leur consentement et ont procédé en conséquence.

VI. Présentement, et comme conséquence de ce qui précède, lesdits Lords spirituels et temporels et les Communes assemblés en Parlement pour ratifier, confirmer et fonder ladite déclaration, et les articles, clauses et points y contenus, par la vertu d'une loi du Parlement en due forme, supplient qu'il soit déclaré et arrêté que tous et chacun des droits et libertés rapportés et réclamés dans ladite déclaration sont les vrais, antiques et incontestables droits et libertés du peuple de ce royaume (...).

. . . .

XI. Lesquelles choses il a plu à leurs Majestés voir toutes déclarées, établies et sanctionnées par l'autorité de ce présent Parlement, afin qu'elles soient et demeurent à perpétuité la loi de ce royaume. Elles sont, en conséquence, déclarées, établies et sanctionnées par leurs dites Majestés, avec et d'après l'avis et consentement des Lords spirituels et temporels et des Communes assemblés en Parlement, et par l'autorité d'iceux.

. . . .

(10) Ce titre de roi de France a été porté par les souverains d'Angleterre jusqu'en 1801.

(11) Suivent les dispositions réglant l'ordre de succession au trône.

XIII. Il est aussi arrêté qu'aucunes chartes, concessions ou dispenses accordées avant le 23 octobre de l'an N.S. 1689, ne seront annulées ou invalidées par le présent Act, mais auront et conserveront leur ci-devant force et valeur de droit, et non une autre, comme si le présent Act n'avait point été fait.

VI. — Acte d'établissement (« Act of settlement ») (12 juin 1701) (12)

. . . .

III. Et, attendu qu'il est expédient et nécessaire de pourvoir pour l'avenir à la garantie de notre religion, de nos lois et de nos libertés, dès et après le décès de Sa Majesté et de la princesse Anne de Danemark, et à défaut de lignée naturelle de ladite princesse ou de Sa Majesté, il est établi par Sa Majesté le Roi, par et avec l'avis et le consentement des Lords spirituels et temporels et des Communes assemblés en Parlement, et par l'autorité d'iceux : 1. Que quiconque viendra ci-après à la possession de cette couronne se conformera à la communion de l'église d'Angleterre, telle qu'elle est établie par la loi ; 2. Qu'au cas où la couronne et la dignité impériale de ce royaume viendraient à échoir à une personne non native de ce royaume d'Angleterre, la nation ne sera obligée de s'engager dans aucune guerre pour la défense des possessions ou territoires qui n'appartiendront pas à la couronne d'Angleterre, si ce n'est du consentement du Parlement (...) ; 5. Interdiction aux naturalisés d'être membres du Conseil privé ou de l'une des Chambres (...) ; 8. Que nul pardon, sous le grand-sceau d'Angleterre, ne sera reçu contre une mise en accusation en Parlement *(impeachment)* décidée par les Communes.

. . . .

VII. — Le « Parliament Act » du 18 août 1911 (13)

. . . .

Considérant qu'il est désirable de substituer à la Chambre des Lords telle qu'elle existe actuellement une seconde Chambre issue de la volonté populaire au lieu de l'hérédité mais qu'une telle substitution ne peut être réalisée immédiatement.

Considérant que le Parlement devra limiter et définir les pouvoirs de la nouvelle seconde Chambre par un texte réalisant cette substitution mais qu'il est désirable de réduire dès maintenant par le présent *Act* les pouvoirs actuels de la Chambre des Lords,

. . . .

(12) Traduction DARESTE, *op. cit.*, pp. 537 ss.
(13) Traduction du Pr CADART, *RDP*, 1952, pp. 707 ss. Voir aussi SIBERT, *RDP*, 1912, pp. 564 ss., et DARESTE, *op. cit.*, pp. 539 ss.

Article Premier. — [*Pouvoirs de la Chambre des Lords en ce qui concerne les projets financiers*]. — *(1)* Si un projet financier *(Money Bill)*, préalablement adopté par la Chambre des Communes et transmis à la Chambre des Lords un mois au moins avant la fin de la session, n'est pas voté sans amendement par la Chambre des Lords dans le mois qui suit cette transmission, ce projet sera, à moins que la Chambre des Communes n'en décide autrement, présenté à Sa Majesté et deviendra un *Act* du Parlement au moment de la signification de l'approbation royale, nonobstant l'absence de consentement de la Chambre des Lords. — *(2)* Un projet financier signifie un projet de loi qui, selon l'opinion du *Speaker* de la Chambre des Communes, ne contient que des dispositions relatives à l'ensemble ou à l'une des matières suivantes, à savoir : imposition, abrogation, remise, modification ou réglementation des impôts ; la création, la modification ou la suppression pour le règlement de dettes ou pour d'autres buts financiers, de charges pour le Fond consolidé ou sur les ressources votées par le Parlement ; les autorisations de crédits ; l'affectation des fonds publics, leur perception, détention, payement et la vérification des comptes ; l'émission, la garantie ou le remboursement de tout emprunt ; ou les matières accessoires relatives à ces questions. Dans cette sous-section les expressions « impôts », « fonds publics » et « emprunt » ne comprennent pas les impôts, fonds ou emprunts dont bénéficient les autorités locales pour leurs besoins locaux. — *(3)* Chaque projet financier, lorsqu'il sera transmis à la Chambre des Lords ou présenté à l'approbation royale, portera une mention signée par le Speaker de la Chambre des Communes certifiant que c'est un projet financier. Avant de délivrer ce certificat, le Speaker devra consulter, s'il le peut, deux membres de la Chambre des Communes qui seront désignés au début de chaque session par le Comité de sélection parmi les membres de la liste des présidents.

Art. 2. — [*Restriction des pouvoirs de la Chambre des Lords en ce qui concerne les Projets autres que les Projets Financiers*]. — *(1)* Si un projet *(Public Bill)* (14) (autre qu'un projet financier ou un projet contenant des dispositions augmentant la durée maximum de la législature au-delà de cinq ans) adopté par la Chambre des Communes en trois sessions successives (15) (du même Parlement ou de Parlements différents), et transmis à la Chambre des Lords durant

(14) Un point de vocabulaire. Les *Public Bills* sont les projets ou propositions de loi de portée générale ou d'intérêt général. Les *Private Bills* sont les projets ou propositions visant des intérêts particuliers ou le bénéfice d'une ou plusieurs personnes physiques ou morales. Les procédures d'adoption de ces *Bills* sont assez sensiblement distinctes. En tout cas, l'*Act* de 1911 ne vise pas les *Private Bills*. N.B. — La distinction entre *Public* et *Private Bills* concerne le fond et non l'initiative des lois. Si la plupart des *Public Bills* sont introduits par l'exécutif, ils peuvent aussi l'être par des parlementaires. L'on parle alors de *Private Member's Bills* (en français : *proposition* de loi par opposition à *projet*).

(15) Une fois par session.

chacune de ces sessions un mois au moins avant la fin de la session, est repoussé par la Chambre des Lords durant chacune de ces sessions, ce projet sera présenté à Sa Majesté dès son troisième rejet par la Chambre des Lords, à moins que la Chambre des Communes en décide autrement, et deviendra un *Act* du Parlement au moment de la signification de l'approbation royale, nonobstant l'absence de consentement de la Chambre des Lords, à condition que deux ans se soient écoulés entre la date de la seconde lecture de ce projet à la Chambre des Communes durant la première de ces sessions et la date à laquelle ce texte sera voté par la Chambre des Communes durant la troisième de ces sessions. — *(2)* Un projet présenté à l'approbation royale, en exécution des dispositions de cette section, portera la mention signée par le *Speaker* de la Chambre des Communes certifiant que ces dispositions ont été entièrement appliquées. *(3)* Un projet sera considéré comme rejeté par la Chambre des Lords s'il n'est pas adopté par celle-ci soit sans amendement soit avec des amendements acceptés par les deux chambres. — *(4)* Un projet sera considéré comme le même projet qu'un ancien projet transmis à la Chambre des Lords durant la session précédente si, lorsqu'il est transmis à la Chambre des Lords, il est identique au précédent projet ou ne contient que des modifications considérées par le *Speaker* de la Chambre des Communes comme nécessaires en raison du temps qui s'est écoulé depuis la date du précédent projet ou comme représentant les amendements apportés par la Chambre des Lords à ce projet durant la session précédente et certifiées comme telles: tout amendement certifié par le *Speaker* comme amendement apporté au projet par la Chambre des Lords durant la troisième session et accepté par la Chambre des Communes, sera inséré dans le projet présenté à l'approbation royale en application de la présente section. Toutefois, la Chambre des Communes pourra, si elle le juge utile, lors de l'examen d'un tel projet durant la deuxième ou la troisième session, proposer d'autres amendements sans inclure ceux-ci dans le projet : tout amendement ainsi proposé sera examiné par la Chambre des Lords et en cas d'accord de celle-ci sera considéré comme un amendement de la Chambre des Lords accepté par la Chambre des Communes ; cependant l'exercice de ce droit par la Chambre des Communes ne modifiera pas les effets de cette section au cas où le projet serait rejeté par la Chambre des Lords.

. . . .

ART. 7. — [*Durée de la législature*]. — Cinq ans seront substitués à sept ans pour la durée maxima de chaque législature telle qu'elle a été fixée par l'*Act* de 1715 fixant cette durée à sept ans (16).

. . . .

(16) *Septennial Act.*

VIII. — Le « Parliament Act » du 16 décembre 1949 (17)

ARTICLE PREMIER. — [*Substitution des mentions de deux sessions et un an à celles de trois sessions et deux ans*]. — Le *Parliament Act* de 1911 aura effet et sera sensé avoir eu effet depuis le début de la session durant laquelle le Projet du présent *Act* a été présenté à la Chambre des Communes (excepté pour ce projet lui-même), comme si *a)* avaient été substitués, dans les sous-sections *(1)* et *(4)* de la section deux de l'*Act* précité, aux mots : « en trois sessions successives », « au moment de son troisième rejet », « durant la troisième de ces sessions », « durant la troisième session » et « durant la deuxième ou la troisième session », respectivement, les mots : « en deux sessions successives », « au moment de son deuxième rejet », « durant la seconde de ces sessions », « durant la seconde session », et « durant la seconde session », respectivement ; et *b)* avaient été substitués, dans la sous-section *(1)* de la section deux précitée, aux mots « que deux ans se soient écoulés » les mots « qu'un an se soit écoulé » ; étant entendu que, si un projet a été repoussé pour la seconde fois par la Chambre des Lords avant l'approbation royale du présent *Act*, que ce rejet ait eu lieu dans la même session que celle durant laquelle l'approbation royale a été donnée au présent *Act* ou durant une session antérieure, l'exigence de ladite section deux, qu'un projet soit présenté à Sa Majesté au moment du second rejet de la Chambre des Lords, aura pour effet que le projet repoussé devra être présenté à Sa Majesté aussitôt après l'approbation royale du présent *Act* et, même si un tel rejet a eu lieu durant une session antérieure, le projet repoussé pourra recevoir l'approbation royale durant la session au cours de laquelle l'approbation royale a été donnée au présent *Act*.

. . . .

(17) Modifiant l'*Act* de 1911. Traduction du Pr CADART, art. cit., p. 709.

Chapitre II

LES ÉTATS-UNIS

I. — Déclaration de l'Indépendance des Etats-Unis (4 juillet 1776) (1)

Lorsque, dans le cours des événements humains, il devient nécessaire pour un peuple de dissoudre les liens politiques qui l'ont attaché à un autre et de prendre, parmi les puissances de la terre, la place séparée et égale à laquelle les lois de la nature et du Dieu de la nature lui donnent droit, le respect dû à l'opinion de l'humanité l'oblige à déclarer les causes qui le déterminent à la séparation.

Nous tenons pour évidentes par elles-mêmes les vérités suivantes : tous les hommes sont créés égaux ; ils sont doués par leur Créateur de certains droits inaliénables ; parmi ces droits se trouvent la vie, la liberté et la recherche du bonheur. Les gouvernements sont établis par les hommes pour garantir ces droits, et leur juste pouvoir émane du consentement des gouvernés. Toutes les fois qu'une forme de gouvernement devient destructive de ce but, le peuple a le droit de la changer ou de l'abolir, et d'établir un nouveau gouvernement, en le fondant sur les principes et en l'organisant en la forme qui lui paraîtront les plus propres à lui donner la sûreté et le bonheur. La prudence enseigne, à la vérité, que les gouvernements établis depuis longtemps ne doivent pas être changés pour des causes légères et passagères ; et l'expérience de tous les temps a montré, en effet, que les hommes sont plus disposés à tolérer des maux supportables qu'à se faire justice à eux-mêmes, en abolissant les formes auxquelles ils sont accoutumés. Mais, lorsqu'une longue suite d'abus et d'usurpations, tendant invariablement au même but, marque le dessein de les soumettre au despotisme absolu, il est de leur droit, il est de leur devoir, de rejeter un tel gouvernement et de pourvoir par de nouvelles sauvegardes à leur sécurité future. Telle a été la patience de ces Colonies, et telle est aujourd'hui la nécessité qui les force à changer leurs anciens systèmes de gouvernement. L'histoire du roi actuel de la Grande-Bretagne est l'histoire d'une série d'injustices et d'usurpations répétées qui, toutes, avaient pour but direct l'établis-

(1) Traduction de Jefferson lui-même.

sement d'une tyrannie absolue sur ces Etats. Pour le prouver, soumettons les faits au monde impartial (2).

. . . .

En conséquence, Nous, les représentants des Etats-Unis d'Amérique assemblés en Congrès général, prenant à témoin le Juge suprême de l'univers de la droiture de nos intentions, publions et déclarons solennellement, au nom et par l'autorité du bon peuple de ces colonies, que ces Colonies unies sont et ont droit d'être des Etats libres et indépendants ; qu'elles sont dégagées de toute obéissance envers la Couronne de la Grande-Bretagne ; que tout lien politique entre elles et l'Etat de la Grande-Bretagne est et doit être entièrement dissous ; que, comme les Etats libres et indépendants, elles ont pleine autorité de faire la guerre, de conclure la paix, de contracter des alliances, de réglementer le commerce et de faire tous autres actes ou choses que des Etats indépendants ont droit de faire ; et, pleins d'une ferme confiance dans la protection de la divine Providence, Nous engageons mutuellement au soutien de cette déclaration nos vies, nos fortunes et notre bien le plus sacré, l'honneur.

II. — Articles de Confédération du 15 novembre 1777 (3)

A tous ceux à qui parviendront les présentes, nous soussignés, délégués des Etats auxquels sont attachés nos noms, adressons notre salut.

Les délégués des Etats-Unis d'Amérique, assemblés en Congrès, le quinzième jour de novembre de l'année mil sept cent soixante-dix-septième de Notre Seigneur, et deuxième de l'Indépendance de l'Amérique, s'étant mis d'accord sur certains articles de Confédération et d'Union perpétuelle entre les Etats du Newhampshire, du Massachusetts, de Rhode-Island et de la Providence, du Connecticut, de New Jersey, de la Pennsylvanie, du Delaware, du Maryland, de la Virginie, de la Caroline du Nord et de la Caroline du Sud, de la Géorgie, dans les termes suivants, conviennent ;

Article Premier. — Les susdits Etats se confédèrent sous le titre des Etats-Unis d'Amérique.

Art. 2. — Chaque Etat conserve sa souveraineté, sa liberté et son indépendance, et aussi tous les pouvoirs, juridictions et droits qui ne sont pas expressément délégués aux Etats-Unis assemblés en Congrès par le présent Acte de Confédération.

Art. 3. — Lesdits Etats adhèrent, chacun en leur nom, par le présent acte, à une ferme ligue d'amitié mutuelle pour leur défense commune, pour le maintien de leurs libertés, et pour leur bien général et mutuel, s'obligeant à se secourir les uns les autres contre toutes violences dont on pourrait menacer tous ou chacun d'eux, et à repousser en commun toutes attaques qui pourraient être dirigées

(2) Suit l'énoncé des 27 griefs des colonies à l'encontre de la Couronne.
(3) Ratifiés en 1781 par le nombre requis d'Etat.

contre tous ou chacun d'eux, pour cause de religion, de souveraineté, de commerce, ou sous quelqu'autre prétexte que ce soit.

ART. 4. — Pour assurer et perpétuer le mieux possible l'amitié et les rapports mutuels parmi les peuples des divers Etats qui composent cette Union, les habitants libres de chacun de ces Etats, à l'exception des mendiants, des vagabonds et de ceux qui fuient les poursuites de la justice, auront droit à toutes les immunités et privilèges de citoyens libres dans les différents Etats ; et le peuple de chaque Etat pourra librement entrer dans chacun des autres Etats et en sortir, y jouira de tous les privilèges de trafic et de commerce, y sera soumis aux mêmes droits, impositions et restrictions que leurs habitants respectifs ; mais ces restrictions ne pourront pas s'étendre jusqu'à empêcher des biens importés dans un Etat d'être transportés dans un autre Etat dont le propriétaire desdits biens serait habitant ; et aucun Etat ne pourra non plus mettre des impositions, des droits, ni des restrictions, sur le commerce des biens appartenant aux Etats-Unis ou à quelqu'un d'eux.

Si quelque personne coupable ou accusée de trahison, de félonie ou d'autre attentat considérable, dans un des Etats, fuit la poursuite de la justice et est retrouvée dans quelque autre des Etats-Unis, elle sera, sur la demande du gouverneur, ou du pouvoir exécutif de l'Etat dont elle se sera évadée, livrée et ramenée audit Etat, dans la juridiction duquel elle devra être jugée.

Il sera pleinement ajouté foi et croyance dans chacun des Etats, aux registres, actes et procédures judiciaires des Cours et des magistrats de tous les autres Etats.

ART. 5. — Afin que les intérêts généraux des Etats-Unis soient dirigés et conduits le mieux et le plus convenablement que faire se pourra, il sera nommé annuellement en la manière que la législature de chacun des Etats l'ordonnera, des délégués qui s'assembleront en Congrès, le premier lundi du mois de novembre de chaque année, avec pouvoir réservé à chacun des Etats de rappeler ses délégués ou quelques-uns d'entre eux, à quelque moment de l'année que ce soit, et d'en envoyer d'autres à leur place pour le reste de l'année.

Aucun Etat ne sera représenté en Congrès par moins de deux, ni par plus de sept membres: le même sujet ne pourra pas être délégué plus de trois années dans l'espace de six : et un délégué ne pourra remplir aucune fonction dépendant des Etats-Unis, pour laquelle lui, ni aucune autre personne pour lui, recevrait des appointements, des honoraires ou émoluments quelconques.

Chaque Etat pourvoira aux appointements de ses délégués pendant la session des Etats et pendant qu'ils seront membres de la Commission desdits Etats.

Chacun des Etats n'aura qu'un suffrage pour la décision des questions dans l'Assemblée des Etats-Unis en Congrès.

La liberté de parole et de débat dans le Congrès ne sera pas poursuivie comme crime contre l'Etat, et ne sera attaquée de quelque manière que ce soit, devant aucune Cour ou lieu quelconque hors du Congrès, et les membres du Congrès ne pourront pas être saisis personnellement, ni emprisonnés, au cours de leur trajet pour se rendre au Congrès, ou en revenir, ni pendant qu'ils y siégeront, excepté pour trahison ou atteinte à la paix politique.

Art. 6. — Aucun Etat en particulier ne pourra envoyer ni recevoir des ambassades, entamer des négociations, contracter des engagements, former des alliances, ni conclure des traités avec aucun roi, prince ou Etat quelconque sans le consentement des Etats-Unis assemblés en Congrès.

Aucune personne exerçant des fonctions quelconques sous l'autorité des Etats-Unis, soit qu'il y ait des appointements attachés à la fonction, soit que ce soit un poste de pure confiance, ne pourra accepter aucun présent, émolument, ni aucun office ou titre, de quelque nature qu'il soit, d'aucun roi, prince ou Etat étranger.

Les Etats-Unis assemblés en Congrès, ni aucun Etat en particulier, ne pourront conférer aucun titre de noblesse.

Deux ou plusieurs Etats ne pourront conclure entre eux aucun traité, confédération ou alliance quelconque, sans le consentement des Etats-Unis assemblés en Congrès, et devront dans ce cas spécifier exactement les objets pour lesquels ce traité, cette confédération ou cette alliance seront conclus, et combien de temps ils devront durer.

Aucun Etat ne pourra établir des impôts ou droits qui puissent altérer les clauses des traités conclus par les Etats-Unis assemblés en Congrès, avec aucun roi, prince ou Etat, ni contre celle d'aucun traité déjà proposés par le Congrès aux Cours de France et d'Espagne.

Aucun Etat ne pourra entretenir, en temps de paix, que le nombre de bâtiments de guerre jugé nécessaire par les Etats-Unis assemblés en Congrès, pour sa défense et celle de son commerce; et aucun Etat n'entretiendra non plus de troupes en temps de paix, que la quantité jugée suffisante par les Etats-Unis assemblés en Congrès pour fournir des garnisons aux forteresses nécessaires à sa défense; mais chaque Etat entretiendra toujours une Milice bien ordonnée et disciplinée, suffisamment armée et équipée et tiendra toujours en réserve et prêt, dans ses magasins, une quantité suffisante de pièces d'artillerie de campagne, de tentes et une quantité proportionnée d'armes, de munitions et d'équipement de campagne.

Aucun Etat ne s'engagera dans une guerre sans le consentement des Etats-Unis assemblés en Congrès à moins d'une invasion véritable de quelque ennemi, ou d'avis certains qu'il pourrait avoir d'une résolution formée par quelque nation d'Indiens de l'attaquer, et dans le cas seulement où le péril serait trop imminent pour ne pas permettre de différer jusqu'à ce que les Etats-Unis assemblés en Congrès puissent être consultés.

Et aucun Etat ne pourra donner de commissions à des vaisseaux ou autres bâtiments de guerre, ni des lettres de marque ou de représailles, qu'après une déclaration de guerre des Etats-Unis assemblés en Congrès, et alors seulement contre le royaume ou l'Etat, et contre les sujets du royaume ou de l'Etat contre qui la guerre aura été déclarée, et en se conformant aux règles qui seront établies par les Etats-Unis assemblés en Congrès : dans le cas cependant où les côtes d'un Etat seraient infestées par les pirates, il pourra, mais dans ce cas seulement, armer des bâtiments de guerre et les entretenir aussi longtemps que le danger subsistera, ou jusqu'à ce que les Etats-Unis assemblés en Congrès en aient décidé autrement.

Art. 7. — Lorsqu'un des Etats lèvera des troupes de terre pour la défense commune, tous les officiers du grade de colonel et au-dessous seront nommés par la législature de l'Etat qui aura levé lesdites troupes, ou de la manière que ledit Etat ordonnera; et toutes les vacances de ces emplois seront remplies par l'Etat qui aura fait la première nomination.

Art. 8. — Toutes les dépenses de la guerre et toutes celles qui se feront pour la défense commune ou l'intérêt général, et qui seront autorisées par les Etats-Unis assemblés en Congrès, seront couvertes par un trésor commun qui sera alimenté par les différents Etats, en proportion de la valeur de toutes les terres qui dans chaque Etat, sont concédées à une personne en particulier; et ces terres, ainsi que les bâtiments qui y auront été construits, ou autres améliorations qui y auront été faites, seront estimées de la manière que les Etats-Unis assemblés en Congrès l'ordonneront et le règleront dans la suite des temps. Les taxes pour payer cette contribution seront établies et levées sous l'autorité et par l'ordre des législatures des différents Etats, dans les délais fixés par les Etats-Unis assemblés en Congrès.

Art. 9. — Les Etats-Unis assemblés en Congrès auront seuls et exclusivement le droit et le pouvoir de décider de la paix et de la guerre, excepté dans les cas mentionnés au sixième article, d'envoyer des ambassadeurs et d'en recevoir, de conclure des traité et des alliances; mais ils ne pourront conclure aucun traité de commerce qui empêche la puissance législative des Etats respectifs de mettre sur les étrangers tels impôts ou droits auxquels le peuple du pays sera sujet, ni de défendre l'exportation ou l'importation de telle espèce de marchandises ou de denrées que ce soit.

Les Etats-Unis assemblés en Congrès auront aussi seuls et exclusivement le droit et le pouvoir d'établir les règles d'après lesquelles on décidera dans tous les cas la légitimité des prises sur terre et sur mer, la manière dont les prises faites par les forces de terre ou de mer au service des Etats-Unis devront être partagées, et l'emploi qui en sera fait; d'accorder des lettres de marque ou de représailles en temps de paix, d'instituer des tribunaux pour le jugement des pirateries et des félonies commises en haute mer, et d'établir aussi des Cours pour recevoir et juger en dernier ressort les appels dans tous les cas de prises; mais aucun membre du Congrès ne pourra être nommé juge d'aucune desdites Cours.

Les Etats-Unis assemblés en Congrès jugeront aussi en dernier ressort tous les différends et querelles déjà existants, ou qui pourraient s'élever dans la suite, entre deux ou plusieurs Etats, concernant les frontières, la juridiction ou tout autre objet que ce soit ; et cette autorité sera toujours exercée de la manière suivante : toutes les fois que le pouvoir législatif ou exécutif, ou bien un agent régulier de quelqu'un des Etats en discussion avec un autre Etat présenteront au Congrès une pétition exposant la question et par laquelle on demandera à être entendu, il sera donné par ordre du Congrès communication de la pétition au pouvoir législatif ou exécutif de l'autre Etat, et il sera assigné un jour aux parties pour comparaître par leurs agents réguliers, à qui pour lors il sera ordonné de nommer d'un commun consentement des commissaires ou des juges pour former une Cour, à l'effet d'entendre et de juger la question ; mais si ces agents ne s'accordent pas pour faire ce choix, le Congrès nommera trois personnes de chacun des Etats-Unis ; chacune des parties alternativement, en commençant par la partie demanderesse, effacera un nom de cette liste, jusquà ce qu'elle soit réduite à treize sujets ; et sur ce nombre, on en tirera au sort en présence du Congrès, jamais moins de sept et jamais plus de neuf, selon que le Congrès l'ordonnera. Ceux dont les noms auront été ainsi tirés, ou cinq d'entre eux, seront commissaires ou juges pour entendre et juger définitivement le litige, du moins si la majorité des juges qui connaîtront du litige est d'accord sur le jugement à prononcer.

Si l'une ou l'autre partie négligeait de comparaître au jour assigné sans donner des raisons que le Congrès jugeât valables ou si, étant présente, elle refusait de prendre la liste des juges et d'y faire son choix, le Congrès procédera toujours à nommer trois personnes de chaque Etat ; le secrétaire du Congrès, au lieu et à la place de la partie absente ou qui refuse, effacera les noms et le jugement ou la sentence de la Cour nommée comme il a été dit ci-devant, seront définitifs. Si quelqu'une des parties refuse de se soumettre à l'autorité de cette Cour, ou de comparaître, ou de se défendre, ce nonobstant, la Cour procédera à prononcer la sentence ou le jugement, qui seront également définitifs ; le jugement ou la sentence et toute la procédure seront, dans tous les cas, transmis au Congrès et déposés parmi ses actes pour la sûreté des parties intéressées.

Mais tout commissaire, avant de prendre séance pour juger, prêtera entre les mains d'un des juges de la Cour Suprême ou supérieure de l'Etat dans l'étendue duquel la cause devra être instruite, le serment d'entendre et juger la question avec impartialité, sincérité et attention, et selon ses lumières, sans faveur, affection, ni espoir de récompense.

Aucun Etat ne pourra non plus, en vertu d'un tel jugement, être privé d'aucune partie de son territoire au profit des Etats-Unis.

S'il survenait quelques contestations pour droit prétendu sur des terres par des particuliers, en vertu de concessions différentes données par deux ou plusieurs Etats dont les juridictions à l'égard de ces terres et des Etats qui auront accordé de telles concessions fussent réclamées comme ayant été faites avant la fixation de juridiction, sur la pétition présentée par l'une ou l'autre des parties au Congrès des Etats-Unis, ces contestations seront jugées, autant que faire se pourra, de la même manière ci-devant prescrite pour juger les litiges de juridiction territoriale entre les différents Etats.

Les Etats-Unis assemblés en Congrès auront aussi seuls et exclusivement le droit et le pouvoir de fixer le titre et la valeur des monnaies frappées sous leur autorité ou sous celle des Etats respectifs ; de déterminer les étalons des poids et mesures dans toute l'étendue des Etats-Unis ; de régler le commerce et de diriger toute espèce d'affaires avec les Indiens qui ne seront membres d'aucun des Etats, pourvu que le droit législatif de chacun des Etats, dans ses propres limites, n'en éprouve aucune violation, ni infraction ; d'établir et de régler les postes d'un Etat à un autre, dans toute l'étendue des Etats-Unis ; et de percevoir sur les lettres ou papiers circulant par cette voie, une taxe suffisante pour fournir aux frais de ce service ; de nommer tous les officiers des armées de terre au service des Etats-Unis, excepté les officiers des régiments ; de nommer tous les officiers des forces navales et de donner les commissions à tous les officiers quelconques au service des Etats-Unis ; de faire des règlements pour l'administration et la discipline desdites forces de terre et de mer, et de diriger et ordonner leurs opérations.

Les Etats-Unis assemblés en Congrès auront le pouvoir de nommer une Commission qui siégera pendant les vacances du Congrès, s'intitulera Commission des Etats, et sera composée d'un délégué de chaque Etat; et de nommer telles autres Commissions et officiers civils qu'ils jugeront nécessaires pour conduire les affaires générales des Etats-Unis sous leurs ordres; de nommer un de leurs membres pour présider, pourvu que personne ne puisse remplir la charge de président plus d'un an dans l'espace de trois années; de déterminer les sommes d'argent qui devront être levées pour le service des Etats-Unis; d'ordonner la destination de ces sommes et de les affecter au paiement des dépenses publiques; d'emprunter de l'argent, ou de mettre en circulation des billets de crédit sur les Etats-Unis, en envoyant tous les six mois aux Etats respectifs un compte des sommes d'argent ainsi empruntées ou mises en circulation par billets; de faire construire et armer des vaisseaux; de déterminer les effectifs des armées de terre que chaque Etat devra entretenir, et de faire en conséquence à chaque Etat la réquisition pour fournir son contingent, le tout à proportion du nombre des habitants blancs de chaque Etat; ces réquisitions seront obligatoires et, sur leur vu, la législature de chacun des Etats nommera les officiers du régiment, lèvera les hommes, les habillera, armera et équipera comme des soldats doivent l'être aux frais des Etats-Unis; les officiers et soldats ainsi armés, habillés et équipés, marcheront au lieu désigné, et dans les détails fixés par les Etats-Unis assemblés en Congrès; mais si les Etats-Unis assemblés en Congrès jugent à propos, en considération de certaines circonstances, que quelqu'un des Etats ne lève point d'hommes, ou en lève moins que son contingent, et qu'un autre Etat en lève plus que le sien, le nombre excédent sera levé pourvu d'officiers, habillé, armé et équipé de la même manière que le contingent de cet Etat, à moins que la législature ne juge qu'un tel excédent ne peut pas être fourni avec sûreté par lui; auquel cas elle lèvera, pourvoira d'officiers, armera, habillera et équipera seulement la portion de cet excédent qu'elle jugera pouvoir fournir sans exposer la sûreté dudit Etat, et les officiers et soldats ainsi armés, habillés et équipés marcheront au lieu désigné dans les délais fixés par les Etats-Unis assemblés en Congrès.

Les Etats-Unis assemblés en Congrès ne s'engageront jamais dans aucune guerre, ne donneront point de lettres de marque ou de représailles en temps de paix, ne concluront aucun traité ou alliance ; ne feront point frapper de monnaie et n'en fixeront point la valeur; ils ne détermineront point les sommes et les dépenses nécessaires pour la défense et le bien des Etats-Unis, ou d'aucuns d'entre eux; ils ne mettront point de billets en circulation, n'emprunteront point d'argent sur le crédit des Etats-Unis, ne donneront pas d'autorisations budgétaires, ne statueront point sur le nombre de bâtiments de guerre à construire ou à acheter, ni sur les effectifs des troupes de terre ou de mer à lever; enfin, ils ne nommeront point de général en chef de terre ou de mer, sauf consentement de neuf des Etats; et aucune autre question de quelque nature qu'elle soit, excepté les ajournements, ne sera décidée que par les suffrages de la majorité des Etats-Unis assemblés en Congrès.

Les Etats-Unis assemblés en Congrès pourront s'ajourner à l'époque qu'ils voudront dans l'année et au lieu qu'ils jugeront à propos sur le territoire des Etats-Unis, pourvu que l'ajournement ne soit jamais d'une durée plus longue que six mois; et ils publieront mois par mois le procès-verbal de leurs actes et délibérations, à l'exception des parties relatives aux traités, aux alliances, ou aux opérations militaires qu'ils jugeront devoir tenir secrètes; les votes pour ou contre des délégués de chaque Etat, sur quelques questions que ce soit, ne seront mentionnés dans le procès-verbal que lorsque quelque délégué le requerra, et il sera délivré aux délégués d'un des Etats, ou à quelqu'un de ces délégués en particulier, sur leur réquisition, une copie dudit procès-verbal, à l'exception des parties ci-dessus exceptées, pour être présentée aux législatures des différents Etats.

Art. 10. — La Commission des Etats, ou neuf de ses membres, sera autorisée, pendant les vacances du Congrès, à exercer tels de ses pouvoirs que les Etats-Unis assemblés en Congrès jugeront à propos, du consentement de neuf des Etats, de leur confier; mais il ne sera délégué à la Commission aucun pouvoir, pour l'exercice duquel la voix de neuf Etats soit exigée dans les Etats-Unis assemblés en Congrès par les articles de la Confédération.

Art. 11. — Le Canada, sur sa simple accession à cette Confédération, et sa jonction aux membres des Etats-Unis, sera admis dans cette Union, et rendu participant de tous ses avantages; mais il n'y sera admis aucune autre colonie, à moins que cette admission ne soit consentie par neuf des Etats.

ART. 12. — Tous les billets en circulation, tout l'argent emprunté, et toutes les dettes contractées par et sous l'autorité du Congrès, avant l'Assemblée des Etats-Unis, en vertu de la présente Confédération, seront réputés et considérés comme une charge desdits Etats pour le paiement et l'acquittement de laquelle lesdits Etats engagent solennellement la foi publique par le présent Acte.

ART. 13. — Chaque Etat se soumet aux décisions des Etats-Unis assemblés en Congrès sur toutes les questions dont la connaissance leur est dévolue par la présente Conférération. Les articles de la présente Confédération seront inviolablement observés par tous et chacun des Etats; l'union sera perpétuelle, et il ne pourra être fait dans la suite aucun changement à aucun de ces articles, à moins que ce changement ne soit consenti dans un Congrès des Etats-Unis et confirmé ensuite par les législatures de chacun des Etats.

Et attendu qu'il a plu au Souverain Maître de l'Univers de déterminer les législatures que nous représentons respectivement en Congrès, à approuver et à nous donner pouvoir de ratifier les susdits articles de Conférération et d'Union perpétuelles, sachez que nous, délégués soussignés, en vertu de l'autorité et des pouvoirs à nous donnés à cet effet, nous ratifions et confirmons pleinement et entièrement par les présentes, au nom et au profit de nos constituants respectifs, tous et chacun des susdits articles de Confédération et d'Union perpétuelles, et toutes et chacune des matières et choses y contenues.

Et de plus, nous obligeons et engageons solennellement la foi de nos constituants respectifs, qu'ils se soumettront aux décisions des Etats-Unis assemblés en Congrès sur toutes les questions dont la connaissance leur est dévolue par le présent Acte de Confédération, que tous les articles en seront inviolablement observés, et que l'Union sera perpétuelle.

III. — Constitution du 17 septembre 1787 (4)

Nous, le peuple des Etats-Unis, afin de former une union plus parfaite, d'établir la justice, d'assurer la tranquillité intérieure, de

(4) Texte établi par l'auteur, avec un souci de précision plus que d'élégance, à l'aide des diverses traductions usuelles et en prenant en considération l'édition de la constitution réalisée par le Congrès (voir *The Constitution of the United States of America...*, présenté par Th. CELLER, feb. 9 1972, Washington, US Government Printing Office, 1972, VI-73 p., 92nd Congress, 2nd session, House document n° 92-157 ; cote bibl. sc. po. : Coll. 8° 1155 (92-2-157). Le système américain de majuscules n'est toutefois pas respecté ici, comme cela est d'ailleurs traditionnel, du fait de son caractère déconcertant. Pour gagner de la place, les alinéas ne sont indiqués que par leur numéro : — *(1)*, — *(2)*, etc. On trouvera entre crochets des titres de nous indiquant le sens général des dispositions. Nous remercions M. Marc Vellay d'avoir bien voulu relire cette traduction.

pourvoir à la défense commune, de développer le bien-être général et d'assurer à nous-mêmes et à notre postérité les bienfaits de la liberté, ordonnons et établissons la présente Constitution pour les Etats-Unis d'Amérique (5).

ARTICLE PREMIER **[Département législatif]** (6)

SECTION 1 **[Congrès].** — Tous les pouvoirs législatifs accordés par la présente constitution seront attribués à un Congrès des Etats-Unis, qui se composera d'un Sénat et d'une Chambre des représentants.

SECTION 2 **[Chambre des représentants].** — *(1)* La Chambre des représentants sera composée de membres choisis tous les deux ans par le peuple des divers Etats, et les électeurs dans chaque Etat devront posséder les qualifications requises des électeurs de la branche la plus nombreuse de la législature de l'Etat (7). — *(2)* Nul ne pourra être représentant s'il n'a atteint l'âge de vingt-cinq ans, s'il n'est depuis sept ans citoyen des Etats-Unis, et s'il ne réside, au moment de son élection, dans l'Etat où il est désigné. — *(3)* [*Les représentants et les impôts directs seront répartis entre les divers Etats qui pourront être compris dans l'Union, proportionnellement à leur population, laquelle sera déterminée en ajoutant au nombre total des personnes libres, y compris celles liées à un service pour un nombre donné d'années et à l'exclusion des Indiens non soumis à l'impôt, les trois cinquièmes de toutes les autres personnes. Le recensement sera fait dans les trois ans qui suivront la première réunion du Congrès des Etats-Unis, et tous les dix ans par la suite, de la manière qui sera prescrite par la loi. Le nombre des représentants n'excédera pas un pour trente mille habitants, mais chaque Etat aura au moins un représentant; et jusqu'à ce que le premier recensement ait été fait, l'Etat de New Hampshire aura le droit d'en désigner trois, le Massachusetts huit, le Rhode Island et les Plantations de Providence un, le Connecticut cinq, New York six, New Jersey quatre, la Pennsylvanie huit, le Delaware un, le Maryland six, la Virginie dix, la Caroline du Nord cinq, la Caroline du Sud cinq et la Georgie trois*] (8). — *(4)* Quand des vacances se produiront dans la représentation d'un Etat, l'autorité exécutive de celui-ci émettra des *writs* (9) d'élection pour y pourvoir. — *(5)* La Chambre des représentants désignera son président *(speaker)* et les autres membres de son bureau; et elle aura le pouvoir exclusif de mise en accusation devant le Sénat *(power of impeachment)*.

SECTION 3 **[Sénat].** — *(1)* Le Sénat des Etats-Unis sera composé

(5) Figureront en italiques et entre crochets les passages modifiés ou affectés par des amendements.
(6) Les titres entre crochets sont ajoutés.
(7) Voir les 15e, 19e et 24e amendements.
(8) Voir les 14e et 16e amendements.
(9) Ordonnance déterminant les conditions générales d'une élection.

de deux sénateurs de chaque Etat, choisis pour six ans [*par la législature de chacun*] (10) et chaque sénateur aura une voix. — *(2)* Immédiatement après qu'ils seront assemblés à la suite de la première élection, les sénateurs seront divisés, aussi également que possible, en trois classes. Les sièges des sénateurs de la première classe seront vacants à l'expiration de la seconde année, de la seconde classe à l'expiration de la quatrième année et de la troisième classe à l'expiration de la sixième année, de telle sorte qu'un tiers soit désigné tous les deux ans; [*et si des vacances se produisent par démission ou autrement, dans l'intervalle des sessions de la législature de l'Etat intéressé, l'exécutif de cet Etat peut procéder à des nominations provisoires jusqu'à la réunion suivante de la législature, qui pourvoira alors à ces vacances*] (11). — *(3)* Nul ne pourra être sénateur s'il n'a atteint l'âge de trente ans, s'il n'est depuis neuf ans citoyen des Etats-Unis, et s'il ne réside, au moment de son élection, dans l'Etat pour lequel il est désigné. — *(4)* Le Vice-Président des Etats-Unis sera président du Sénat, mais n'aura pas de droit de vote, à moins d'égal partage des voix. — *(5)* Le Sénat désignera les autres membres de son bureau, ainsi qu'un président *pro tempore* pour remplacer le Vice-Président en l'absence de celui-ci ou quand il exercera les fonctions de Président des Etats-Unis. — *(6)* Le Sénat aura le pouvoir exclusif de juger les personnes mises en accusation par la Chambre des représentants *(impeachment)*. Quand il siégera à cet effet, ses membres prêteront serment ou feront une déclaration solennelle. En cas de jugement du Président des Etats-Unis, le président de la Cour suprême *(Chief Justice)* présidera. Et nul ne sera déclaré coupable sans accord des deux tiers des membres présents. — *(7)* La sentence dans les cas d'*impeachment* ne pourra excéder la destitution ou l'incapacité de tenir et de bénéficier de toute fonction honorifique, de confiance ou rémunérée relevant des Etats-Unis, mais la partie condamnée n'en sera pas moins responsable et sujette à accusation, procès, jugement et punition, conformément à la loi.

SECTION 4 **[Election des membres du Congrès et sessions].** — *(1)* Les époques, lieux et mode d'élection des sénateurs et des représentants seront fixés, dans chaque Etat, par la législature; mais le Congrès pourra, à tout moment, par une loi, instituer ou modifier de tels règlements, sauf en ce qui concerne le lieu de désignation des sénateurs. — *(2)* [*Le Congrès s'assemblera au moins une fois l'an, et cette réunion aura lieu le premier lundi de décembre, à moins que, par une loi, il ne fixe un jour différent*] (12).

SECTION 5 **[Pouvoirs et obligations des chambres].** — *(1)* Chaque chambre sera juge des élections, pouvoirs et qualifications de ses membres, et la majorité constituera dans chacune un quorum

(10) Voir le 17e amendement.
(11) *Ibid.*
(12) Voir le 20e amendement.

suffisant pour délibérer; mais un nombre inférieur pourra s'ajourner de jour en jour et être autorisé à exiger la présence des membres absents, de telle manière et sous telles pénalités que chaque chambre pourra déterminer. — *(2)* Chaque chambre peut établir son règlement *(Rules of its proceedings)*, punir ses membres pour conduite contraire au bon ordre et, à la majorité des deux tiers, prononcer l'expulsion de l'un d'entre eux. — *(3)* Chaque chambre tiendra un procès-verbal *(Journal of its proceedings)* et le publiera de temps en temps, à l'exception des parties qui pourraient à son sens requérir le secret; et les « oui » et les « non » des membres de chaque chambre sur toute question seront consignés au procès-verbal sur la demande d'un cinquième des membres présents. — *(4)* Pendant la session du Congrès, aucune des deux chambres ne pourra, sans le consentement de l'autre, s'ajourner à plus de trois jours, ni se transporter dans un autre lieu que celui où siégeront les deux chambres.

SECTION 6 **[Indemnité, immunités et incompatibilités].** — *(1)* Les sénateurs et représentants recevront pour leurs services une indemnité qui sera fixée par la loi et payée par le Trésor des Etats-Unis. Ils jouiront du privilège de ne pouvoir en aucun cas, sauf pour trahison, crime et violation de la paix publique, être mis en état d'arrestation pendant leur présence à la session de leurs chambres respectives, ni pendant qu'ils s'y rendent ou qu'ils en reviennent; et, pour tout discours ou débat dans l'une ou l'autre chambre, ils ne pourront être mis en question dans aucun autre lieu. — *(2)* Aucun sénateur ou représentant ne pourra, pendant la durée de son mandat, être nommé à une fonction civile relevant des Etats-Unis, qui aurait été créée ou dont le traitement aurait été augmenté durant cette période; et aucune personne exerçant une fonction relevant des Etats-Unis ne pourra devenir membre de l'une ou l'autre des chambres, tant qu'elle continuera à remplir cette fonction.

SECTION 7 **[Procédure législative et veto].** — *(1)* Tous projets de loi *(Bills)* concernant la levée d'un impôt devront émaner de la Chambre des représentants; mais le Sénat pourra proposer ou consentir des amendements, comme pour les autres projets de loi. — *(2)* Tout projet de loi adopté par la Chambre des représentants et par le Sénat devra, avant d'acquérir force de loi *(become a Law)*, être présenté au Président des Etats-Unis; si celui-ci l'approuve, il le signera; sinon, il le renverra, avec ses objections, à la chambre dont il émane, laquelle consignera lesdites objections intégralement dans son procès-verbal et procédera à un nouvel examen du projet. Si, après ce nouvel examen, le projet de loi réunit en sa faveur les voix des deux tiers des membres de cette chambre, il sera transmis, avec les objections l'accompagnant, à l'autre chambre, qui l'examinera de la même manière à nouveau, et si les deux tiers des membres de celle-ci l'approuvent il aura force de loi. Mais en pareil cas, les votes des deux chambres seront comptés par « oui » et par « non », et les noms des membres votant pour et contre le projet seront consignés au procès-verbal de chaque chambre respectivement. Tout projet qui n'aura pas été renvoyé par le Président dix jours (dimanches non compris) après qu'il aura été présenté deviendra loi, comme si le Président l'avait signé, à moins que le Congrès, par son ajournement, n'en empêche le renvoi, auquel cas le projet n'aura pas force de loi. — *(3)* Tout ordre, résolution ou vote pour lequel le concours du Sénat et de la Chambre des représentants peut être nécessaire (sauf en matière d'ajournement) devra être présenté au Président des Etats-Unis; et avant de devenir exécutoire, il devra être approuvé par lui, ou, s'il le désapprouve, être voté à nouveau par les deux tiers du Sénat et de la Chambre des représentants suivant les règles et les limitations prescrites pour les projets de loi.

SECTION 8 **[Pouvoirs du Congrès].** Le Congrès aura le pouvoir : 1) De lever et percevoir des taxes, droits, impôts et excises (impôts indirects), de payer les dettes et pourvoir à la défense commune et à la prospérité générale des Etats-Unis; mais tous droits, impôts et excises seront uniformes dans toute l'étendue des Etats-Unis; 2) De faire des emprunts sur le crédit des Etats-Unis; 3) De réglementer le commerce avec les nations étrangères, entre les divers Etats, et avec les tribus indiennes; 4) D'établir une règle uniforme de naturalisation et des lois uniformes en matière de faillites dans toute l'étendue des Etats-Unis; 5) De battre monnaie, d'en déterminer la valeur et celle de la monnaie étrangère, et de fixer l'étalon des poids et mesures; 6) D'assurer la répression de la contrefaçon des titres et de la monnaie courante des Etats-Unis; 7) D'établir des bureaux et des routes de poste; 8) De promouvoir le progrès de la science et des arts utiles, en assurant pour un temps limité, aux auteurs et inventeurs, un droit exclusif sur leurs écrits et découvertes respectifs; 9) De constituer des tribunaux subordonnés à la Cour suprême; 10) De définir et punir les actes de pirateries et les crimes commis en haute mer et les délits contre le Droit des gens; 11) De déclarer la guerre, d'accorder des lettres de marque et de représailles, et d'établir des règles concernant les prises sur terre et sur mer; 12) De lever et d'entretenir des armées, mais aucune affectation de crédits à cet usage ne se fera pour une durée supérieure à deux ans; 13) De créer et d'entretenir une marine de guerre; 14) D'édicter des règles pour le commandement et la discipline des forces de terre et de mer; 15) De pourvoir à la convocation de la milice pour assurer l'exécution des lois de l'Union, réprimer les insurrections et repousser les invasions; 16) De pourvoir à l'organisation, à l'armement et à la discipline de la milice, et au commandement de telle partie de celle-ci qui serait employée au service des Etats-Unis, en réservant aux Etats respectivement la nomination des officiers et l'autorité nécessaire pour instruire la milice selon la discipline prescrite par le Congrès; 17) D'exercer la législation exclusive, en toutes matières, sur tel district (n'excédant pas dix milles carrés) qui, par cession d'Etats particuliers et sur acceptation du Congrès, pourra devenir le siège du gouvernement des Etats-Unis, et d'exercer semblable autorité sur tous lieux acquis, du consentement de la législature de l'Etat dans lequel ils seront situés, pour l'érection de forts, magasins, arsenaux, chantiers navals et autres constructions nécessaires; 18) De faire toutes lois qui seront nécessaires et convenables *(necessary and proper)* pour mettre à exécution les pouvoirs ci-dessus énumérés et tous autres pouvoirs conférés par la présente Constitution au gouvernement des Etats-Unis ou à l'un quelconque de ses départements ou de ses fonctionnaires.

SECTION 9 **[Limitations aux pouvoirs des Etats-Unis].** — *(1)* [*L'immigration ou l'importation de telles personnes que l'un quelconque des Etats actuellement existants jugera convenable d'admettre ne pourra être interdite par le Congrès avant l'année mil huit cent huit, mais un impôt ou droit n'excédant pas dix dollars par tête pourra être levé sur cette importation*] (13). — *(2)* Le privilège de l'ordonnance d'*Habeas corpus* ne pourra être suspendu sauf si, en cas de rébellion ou d'invasion, la sécurité publique l'exige. — *(3)* Aucune loi portant condamnation sans jugement *(Bill of attainder)* ou à effet rétroactif *(ex post facto Law)* ne sera adoptée. — *(4)* [*Aucune capitation ni autre impôt direct ne sera levé, si ce n'est en proportion du recensement ou dénombrement ci-avant prévu*] (14). — *(5)* Aucune taxe ou droit ne sera levé sur les articles exportés d'un Etat quelconque. — *(6)* Aucune préférence ne sera accordée par une réglementation commerciale ou fiscale aux ports d'un Etat sur ceux d'un autre; et aucun navire à destination ou en provenance d'un Etat ne sera obligé de se faire enregistrer, de passer en douane ou de payer des droits dans un autre. — *(7)* Aucune somme ne sera prélevée du Trésor, si ce n'est en vertu de crédits ouverts par la loi; et un état et un compte réguliers de toutes les recettes et dépenses de deniers publics seront publiés de temps en temps. — *(8)* Aucun titre de noblesse ne sera conféré par les Etats-Unis, et aucune personne qui tiendra d'eux une fonction rémunérée ou de confiance ne pourra, sans le consentement du Congrès, accepter quelque présent, émolument, fonction ou titre que ce soit de quelque roi, prince ou Etat étranger que ce soit.

SECTION 10 **[Pouvoirs refusés aux Etats].** — *(1)* Aucun Etat ne pourra conclure de traité, former d'alliance ou entrer dans une confédération; délivrer des lettres de marque et de représailles; battre monnaie; émettre du papier-monnaie; donner cours légal, pour le paiement des dettes, à autre chose que la monnaie d'or ou d'argent; faire de *Bill of attainder*, de loi rétroactive ou portant atteinte aux obligations contractuelles, ni conférer de titres de noblesse. — *(2)* Aucun Etat ne pourra, sans le consentement du Congrès, lever d'impôts ou de droits sur les importations ou les exportations, à l'exception de ce qui pourrait être absolument nécessaire pour l'exécution de ses lois d'inspection; et le produit net de tous droits et impôts levés par un Etat sur les importations ou les exportations sera mis à la

(13) Voir le 13e amendement.
(14) Voir le 14e amendement.

disposition du Trésor des Etats-Unis; et toutes lois de cette sorte seront soumises à la révision et au contrôle du Congrès. — *(3)* Aucun Etat ne pourra, sans le consentement du Congrès, lever de droit de tonnage, entretenir des troupes ou des navires de guerre en temps de paix, conclure d'accords ou de pacte avec un autre Etat ou une puissance étrangère, ni entrer en guerre, à moins d'être effectivement envahi ou en danger assez imminent pour ne pas souffrir le moindre délai.

Art. II [Département exécutif]

Section 1 **[Nomination du Président].** — *(1)* Le pouvoir exécutif sera confié à un Président des Etats-Unis d'Amérique. Il occupera ses fonctions pendant un mandat de quatre ans et, avec le Vice-président, dont le mandat sera de même durée, sera élu de la manière suivante : — *(2)* Chaque Etat désignera, de la manière décidée par sa législature, un nombre d'électeurs égal au nombre total de sénateurs et de représentants auquel il a droit au Congrès; mais aucun sénateur ou représentant, ni aucune personne tenant des Etats-Unis une fonction de confiance ou rémunérée ne pourra être désigné comme électeur. [*Les électeurs se réuniront dans leurs Etats respectifs et voteront par scrutin pour deux personnes, dont l'une au moins ne devra pas habiter le même Etat qu'eux. Ils feront une liste de toutes les personnes ayant recueilli des voix et du nombre de voix réunies par chacune; laquelle liste ils signeront, certifieront et transmettront, scellée, au siège du gouvernement des Etats-Unis, à l'adresse du président du Sénat. Ce dernier, en présence du Sénat et de la Chambre des représentants, ouvrira tous les certificats, et les votes seront alors comptés. La personne ayant le plus grand nombre de voix sera le Président, si ce nombre représente la majorité du nombre total des électeurs désignés; et si plusieurs personnes ont obtenu cette majorité et ont un nombre égal de voix, la Chambre des représentants, par un scrutin, choisira immédiatement l'une d'entre elles comme Président ; et si aucune n'a obtenu la majorité, la chambre susdite choisira alors le Président, de la même manière, entre les cinq personnes de la liste les mieux placées. Mais, pour le choix du Président, les votes seront comptés par Etat, la représentation de chaque Etat ayant une voix; le quorum nécessaire à cette fin sera constitué par un ou plusieurs représentants des deux tiers des Etats, et la majorité de tous les Etats sera nécessaire pour un choix. En tout cas, après le choix du Président, la personne ayant le plus grand nombre de suffrages des électeurs sera le Vice-président. Mais s'il restait deux ou plusieurs personnes ayant le même nombre de voix, le Sénat choisirait le Vice-président parmi elles par scrutin*] (15). — *(3)* Le Congrès pourra fixer l'époque où les électeurs seront choisis et le jour où ils devront voter; lequel jour sera le même dans toute l'étendue des

(15) Voir le 12e amendement.

Etats-Unis. — *(4)* Nul ne sera éligible aux fonctions de Président s'il n'est citoyen de naissance, ou citoyen des Etats-Unis au moment de l'adoption de la présente Constitution, s'il n'a trente-cinq ans révolus et ne réside sur le territoire des Etats-Unis depuis quatorze ans. — *(5)* En cas de destitution, de mort, de démission ou d'incapacité du Président à s'acquitter des pouvoirs et devoirs de sa charge, ceux-ci seront dévolus au Vice-président. [*Et le Congrès pourra, par une loi, pourvoir au cas de destitution, de mort, de démission ou d'incapacité à la fois du Président et du Vice-président en désignant le fonctionnaire qui fera alors fonction de Président, lequel fonctionnaire remplira ladite fonction jusqu'à cessation de l'incapacité ou élection d'un Président*] (16). — *(6)* Le Président recevra, à échéances fixes, pour ses services, une indemnité qui ne sera ni augmentée ni diminuée pendant son mandat, et il ne recevra, pendant cette période, aucun autre émolument des Etats-Unis ou de l'un des Etats. — *(7)* Avant d'entrer en fonctions, il prêtera le serment ou l'affirmation qui suit : « Je jure (ou affirme) solennellement que je remplirai fidèlement les fonctions de Président des Etats-Unis et que, dans toute la mesure de mes moyens, je sauvegarderai, protégerai et défendrai la Constitution des Etats-Unis. »

SECTION 2 **[Pouvoirs du Président].** — *(1)* Le Président sera commandant en chef de l'armée et de la marine des Etats-Unis, et de la milice des divers Etats quand celle-ci sera appelée au service actif des Etats-Unis; il peut requérir l'opinion, par écrit, du principal fonctionnaire de chacun des départements exécutifs, sur tout sujet relatif aux fonctions de ses services, et il aura le pouvoir d'accorder des sursis, des commutations de peine et des grâces pour délits *(offenses)* contre les Etats-Unis, sauf en cas d'*impeachment* (17). — *(2)* Il aura le pouvoir, sur l'avis et avec le consentement du Sénat, de conclure des traités, pourvu que deux tiers des sénateurs présents donnent leur accord; et il présentera au Sénat et, sur l'avis et avec le consentement de ce dernier, nommera les ambassadeurs, les autres ministres et les consuls, les juges de la Cour suprême, et tous les autres fonctionnaires des Etats-Unis dont la nomination n'est pas autrement prévue par la présente Constitution, et qui seront établis par la loi; mais le Congrès peut, s'il le juge opportun, investir par une loi le Président seul, les cours de justice ou les chefs de départements, de la nomination de tels fonctionnaires inférieurs. — *(3)* Le Président aura le pouvoir de pourvoir à toutes vacances qui viendraient à se produire dans l'intervalle des sessions du Sénat en accordant des commissions qui expireront à la fin de la session suivante.

SECTION 3 **[Obligations et pouvoirs du Président].** — *(1)* Il informera, de temps en temps, le Congrès de l'état de l'Union, et recom-

(16) Voir les 20e et 25e amendements.
(17) Les trois mots, « sursis », « commutations de peine » et « grâces » visent à rendre la formule « *Reprieves and pardons* ».

mandera à sa réflexion telles mesures qu'il estimera nécessaires et opportunes; il peut, dans des circonstances extraordinaires, convoquer les deux chambres ou l'une d'elles et, en cas de désaccord entre elles en ce qui concerne le moment de leur ajournement, il peut les ajourner à tel moment qu'il juge convenable; il recevra les ambassadeurs et autres ministres; il veillera à ce que les lois soient fidèlement exécutées, et commissionnera tous les fonctionnaires des Etats-Unis.

SECTION 4 **[Impeachment]. — Le Président, le Vice-président et** tous les fonctionnaires civils des Etats-Unis seront destitués de leurs fonctions sur mise en accusation *(impeachment)* et condamnation pour trahison, corruption ou autres hauts crimes et délits *(Treason, Bribery, or other high Crimes and Misdemeanors)*.

ART. III [Département judiciaire]

SECTION 1. — Le pouvoir judiciaire des Etats-Unis sera dévolu à une Cour suprême et à telles cours inférieures que le Congrès pourra, de temps à autre, ordonner et établir. Les juges de la Cour suprême et des cours inférieures conserveront leurs charges tant qu'ils auront une bonne conduite (18) et recevront, à échéances fixes, une indemnité pour leurs services qui ne sera pas diminuée tant qu'ils resteront en fonction.

SECTION 2. — *(1)* Le pouvoir judiciaire s'étendra à toutes les causes, en droit *(Law)* et en équité *(Equity)*, survenues sous l'empire de la présente constitution, des lois des Etats-Unis, des traités conclus, ou qui seraient conclus, sous leur autorité; à toutes les causes concernant les ambassadeurs, les autres ministres et les consuls; à toutes les causes d'amirauté et de juridiction maritime; aux différends dans lesquels les Etats-Unis seront partie; aux différends entre deux ou plusieurs Etats; [*entre un Etat et les citoyens d'un autre Etat*] (19); entre citoyens de différents Etats; entre citoyens d'un même Etat réclamant des terres en vertu de concessions d'autres Etats; [*entre un Etat ou ses citoyens et des Etats, citoyens ou sujets étrangers*] (20). — *(2)* Dans toutes les causes concernant les ambassadeurs, les autres ministres et les consuls, et celles dans lesquelles un Etat sera partie, la Cour suprême aura la juridiction du premier degré. Dans toutes les autres causes sus-mentionnées, elle aura juridiction d'appel, à la fois pour le droit et pour le fait, avec telles exceptions et sous telles règles que le Congrès aura établies. — *(3)* Le jugement de tous les crimes, sauf le cas d'*impeachment*, sera effectué par un jury (21); et ce jugement aura lieu dans l'Etat où lesdits crimes auront été commis; mais quand ils n'auront été commis dans aucun Etat

(18) C'est une façon de dire qu'ils sont inamovibles.
(19) Voir le 11e amendement.
(20) *Ibid.*
(21) Il faut comprendre que *les faits seront établis* par un jury. Par ailleurs le mot « crime » rend ici les termes « crime » et « délit ».

particulier, le jugement aura lieu à tel endroit ou tels endroits que le Congrès pourra avoir déterminés par une loi.

SECTION 3. — La trahison envers les Etats-Unis ne consistera que dans l'acte de s'armer contre eux, ou celui de s'allier à leurs ennemis en leur donnant aide et facilités. Nul ne sera convaincu de trahison, à moins de la déposition de deux témoins sur le même acte patent, ou de son propre aveu en audience publique. — *(2)* Le Congrès aura le pouvoir de fixer la peine de la trahison, mais aucune condamnation de ce chef ne pourra frapper la postérité du coupable *(work corruption of blood)*, ni emporter confiscation de biens *(forfeiture)*, sauf pendant la vie du condamné.

ART. IV **[Relations des Etats entre eux et avec l'Union]**

SECTION 1. — Pleine foi et crédit seront donnés, dans chaque Etat, aux actes publics, procès-verbaux et procédures judiciaires de tout autre Etat. Et le Congrès peut, par des lois générales, prescrire la manière suivant laquelle de tels actes, procès-verbaux et procédures seront prouvés, ainsi que leurs effets (22).

SECTION 2. — *(1)* Les citoyens de chaque Etat auront droit à tous les privilèges et immunités des citoyens dans les divers Etats (23). — *(2)* Toute personne accusée dans un Etat de trahison, félonie ou autre crime, qui fuira la justice et sera trouvée dans un autre Etat, devra, sur la demande de l'autorité exécutive de l'Etat d'où elle a fui, être livrée pour être ramenée dans l'Etat ayant juridiction sur le crime. — *(3)* [*Aucune personne tenue au service ou au travail dans un Etat en vertu des lois de ce dernier, s'échappant dans un autre, ne sera, en conséquence d'aucune loi ou règle de ce dernier, libérée de ce service ou travail, mais elle sera livrée sur la demande de la partie à laquelle ce service ou travail peut être dû*] (24).

SECTION 3. — *(1)* De nouveaux Etats peuvent être admis par le Congrès dans l'Union; mais aucun nouvel Etat ne sera formé ou érigé dans la juridiction d'un autre Etat; et aucun Etat ne sera formé par la réunion de deux ou plusieurs Etats, ou parties d'Etat, sans le consentement des législatures des Etats intéressés, aussi bien que du Congrès. — *(2)* Le Congrès aura le pouvoir de disposer du territoire ou de toute autre propriété appartenant aux Etats-Unis, et de faire à ce sujet toutes lois et tous règlements nécessaires; et rien dans la présente constitution ne sera interprété de manière à préjudicier aux prétentions des Etats-Unis ou d'un Etat particulier.

SECTION 4. — Les Etats-Unis garantiront à chaque Etat de l'Union une forme républicaine de gouvernement, et protégeront chacun d'eux contre l'invasion; et, sur la demande de la législature ou de l'exécutif (quand la législature ne pourra être réunie), contre la violence intérieure.

(22) Voir le 14e amendement.
(23) *Ibid.*
(24) Voir le 13e amendement.

ART. V [Amendements]

Le Congrès, toutes les fois que les deux tiers des deux chambres l'estimeront nécessaire, proposera des amendements à la présente constitution ou, sur la demande des législatures des deux tiers des divers Etats, convoquera une convention pour proposer des amendements qui, dans l'un et l'autre cas, seront valides, à tous égards et à toute fin, comme partie intégrante de la présente constitution, lorsqu'ils auront été ratifiés par les législatures des trois quarts des Etats, ou par des conventions dans les trois quarts d'entre eux, selon que l'un ou l'autre mode de ratification aura été proposé par le Congrès; à condition que [*nul amendement qui serait adopté avant l'année mil huit cent huit n'affecte en aucune manière les première et quatrième clauses de la neuvième section de l'article premier*] (25); et qu'aucun Etat ne soit, sans son consentement, privé de son suffrage égal au Sénat.

ART. VI [Dispositions diverses]

(1) Toutes dettes contractées et tous engagements pris avant l'adoption de la présente constitution seront aussi valides à l'égard des Etats-Unis sous l'empire de cette constitution que sous la Confédération. — *(2)* La présente constitution, et les lois des Etats-Unis qui seront prises pour son application, et tous les traités conclus, ou qui seront conclus, sous l'autorité des Etats-Unis, seront la loi suprême du pays; et les juges dans chaque Etat seront liés de ce fait, nonobstant toute disposition contraire dans la constitution ou les lois de l'un quelconque des Etats. — *(3)* Les sénateurs et représentants sus-mentionnés, les membres des diverses législatures d'Etat et tous les fonctionnaires exécutifs et judiciaires, tant des Etats-Unis que des divers Etats, seront tenus par serment ou affirmation de soutenir la présente constitution; mais aucune profession de foi religieuse *(religion test)* ne sera exigée comme condition d'aptitude à quelque fonction ou charge publique dépendant des Etats-Unis que ce soit.

ART. VII [Ratification de la constitution]

La ratification des conventions de neuf Etats sera suffisante pour la mise en vigueur de la présente constitution entre les Etats qui l'auront ainsi ratifiée.

Fait en convention du consentement unanime des Etats présents,

(25) Voir le 13e amendement.

le dix-septième jour de septembre de l'an de grâce mil sept cent quatre-vingt-sept, et de l'indépendance des Etats-Unis d'Amérique le douzième. En foi de quoi, nous avons signé de nos noms (26).

IV. — Articles additionnels et amendements à la Constitution des Etats-Unis d'Amérique (27)

ARTICLE PREMIER **[Limitation des pouvoirs du Congrès]** (28). — Le Congrès ne fera aucune loi relativement à l'établissement d'une religion ou en interdisant le libre exercice; ou restreignant la liberté de parole ou de la presse; ou le droit du peuple de s'assembler paisiblement, et d'adresser des pétitions au gouvernement pour une réparation de ses torts.

ART. II **[Droit de porter des armes]**. — Une milice bien réglée étant nécessaire à la sécurité d'un Etat libre, le droit du peuple de détenir et de porter des armes ne sera pas transgressé.

ART. III **[Logement des soldats]**. — Aucun soldat ne sera, en temps de paix, logé dans une maison sans le consentement du propriétaire, ni en temps de guerre, si ce n'est de la manière prescrite par la loi.

ART. IV **[Perquisitions et saisies]**. — Le droit des citoyens d'être garantis dans leurs personnes, domiciles, papiers et effets, contre des perquisitions et saisies déraisonnables ne sera pas violé, et aucun mandat ne sera délivré, si ce n'est pour un motif plausible, soutenu par serment ou affirmation, ni sans qu'il décrive avec précision le lieu à fouiller et les personnes ou choses à saisir.

ART. V **[Accusations ; propriété]**. — Nul ne sera tenu de répondre d'un crime capital ou infamant si ce n'est sur une déclaration de mise en accusation *(presentment)* ou un acte d'accusation *(indictment)* d'un grand jury, sauf dans les causes nées dans l'armée de terre ou de mer, ou dans la milice lorsqu'elle est en service actif en temps de guerre ou de danger public; nul ne sera exposé pour le même crime à encourir deux fois une menace pour sa vie ou son corps; nul ne se verra forcé de témoigner contre lui-même dans aucune affaire criminelle; ni ne sera privé de vie, de liberté ou de propriété sans procédure légale convenable *(without due process of law)* (29); nulle propriété privée ne sera prise pour usage public sans juste indemnité.

(26) Suivent, après le nom de G. Washington, président de la Convention, les 38 signatures des représentants des 12 Etats présents (le 13e Etat, le *Rhode Island*, n'était pas représenté). Neuf Etats avaient ratifié au 21 juin 1788; les autres le firent entre 1788 et 1791.

(27) Seuls les 13e, 14e, 15e et 16e amendements se sont vu assigner un numéro au moment de leur ratification.

(28) Les articles I à X qui constituent une forme de *Bill of Rights* furent proposés par le Ier Congrès le 25 septembre 1789 et ratifiés le 15 décembre 1791.

(29) La traduction ici donnée de cette expression vise à rendre compte du sens qu'elle a pris depuis le vote du 14e amendement ; antérieurement, il aurait été préférable de traduire simplement : « procédure fixée par la loi ».

ART. VI **[Jugements criminels]**. — Dans toutes les poursuites criminelles, l'accusé aura droit à un jugement prompt et public par un jury impartial de l'Etat et du district où le crime aura été commis, ce district ayant été préalablement déterminé par la loi, et d'être instruit de la nature et du motif de l'accusation; d'être confronté avec les témoins à charge; de bénéficier d'une procédure obligatoire de citation de témoins à décharge, et d'être assisté d'un conseil pour sa défense.

ART. VII **[Jugement par jury]**. — Dans les procès de *common law* où la valeur en litige excédera vingt dollars, le droit au jugement par jury sera respecté et aucun fait jugé par un jury ne sera examiné de nouveau dans une Cour des Etats-Unis autrement que selon les règles de *common law*.

ART. VIII **[Cautions ; amendes ; peines]**. — Des cautions excessives ne seront pas exigées, ni des amendes excessives imposées, ni des châtiments cruels et inhabituels infligés.

ART. IX **[Droits retenus par le peuple]**. — L'énumération, dans la constitution, de certains droits ne sera pas interprétée de façon à dénier ou déprécier d'autres droits retenus par le peuple.

ART. X **[Droits réservés aux Etats]**. — Les pouvoirs non délégués aux Etats-Unis par la constitution, ni refusés par elle aux Etats, sont réservés aux Etats respectivement, ou au peuple.

ART. XI (4 mars 1794 - 8 janvier 1798) (30) **[Pouvoir judiciaire]**. — Le pouvoir judiciaire des Etats-Unis ne sera pas interprété de façon à s'étendre à tout procès de droit ou d'équité *(in law or equity)* entamé ou poursuivi contre l'un des Etats unis par des citoyens d'un autre Etat, ou par des citoyens ou sujets d'un Etat étranger.

ART. XII (9 décembre 1803 - 25 septembre 1804) **[Election du Président et du Vice-président]**. — Les électeurs se réuniront dans leurs Etats respectifs et voteront par scrutin pour le Président et le Vice-président dont l'un au moins ne sera pas habitant du même Etat qu'eux; ils nommeront sur leurs bulletins la personne pour laquelle ils votent comme Président et sur des bulletins distincts la personne pour laquelle ils votent comme Vice-président, et ils dresseront des listes distinctes de toutes les personnes pour lesquelles on aura voté pour la présidence, et de toutes les personnes pour lesquelles on aura voté pour la vice-présidence, et du nombre de voix de chacune d'elles, lesquelles listes ils signeront, et certifieront, et transmettront, scellées, au siège du gouvernement des Etats-Unis, à l'adresse du président du Sénat; ce dernier, en présence du Sénat et de la Chambre des représentants, ouvrira tous les certificats, et les votes seront alors comptés. La personne ayant le plus grand nombre de voix pour la présidence sera le Président,

(30) A partir de cet amendement, la première date indiquée entre parenthèses est celle de la *proposition* par le Congrès et la seconde celle de la *ratification*.

si ce nombre représente la majorité du nombre total des électeurs désignés; et si personne n'a une telle majorité, alors, parmi les trois personnes ayant le plus grand nombre de votes pour la présidence, la Chambre des représentants choisira immédiatement le Président, par scrutin. Mais, pour le choix du Président, les voix seront comptées par Etat, la représentation de chaque Etat ayant une voix; le quorum nécessaire à cette fin sera constitué par un ou plusieurs membres des deux tiers des Etats, et une majorité de tous les Etats sera nécessaire pour un choix. [*Et si la Chambre des représentants, quand le droit de choisir lui échoira, ne choisit pas un Président avant le quatrième jour de mars suivant, alors le Vice-président agira en qualité de Président comme dans le cas du décès ou d'autre incapacité constitutionnelle du Président*] (31). La personne ayant le plus grand nombre de voix pour la vice-présidence sera Vice-président, si ce nombre représente la majorité du nombre total des électeurs désignés; si personne n'a une majorité alors, parmi les deux mieux placés sur la liste, le Sénat choisira le Vice-président; le quorum nécessaire à cette fin sera constitué des deux tiers du nombre total des sénateurs, et une majorité de ce nombre total sera nécessaire pour un choix. Mais aucune personne inéligible, de par la constitution, aux fonctions de Président ne sera éligible à celles de Vice-président des Etats-Unis.

ART. XIII (31 janvier 1865 - 18 décembre 1865) **[Abolition de l'esclavage]**. — SECTION 1 : Ni esclavage ni servitude involontaire, si ce n'est en punition d'un crime dont le coupable aura été dûment convaincu, n'existeront aux Etats-Unis ou dans aucun endroit soumis à leur juridiction. — SECTION 2 : Le Congrès aura pouvoir pour donner effet au présent article par une législation appropriée.

ART. XIV (13 juin 1866 - 28 juillet 1868) **[Garantie des libertés individuelles; électorat; éligibilité; dette publique]**. — SECTION 1 : Toutes personnes nées ou naturalisées aux Etats-Unis, et soumises à leur juridiction, sont citoyens des Etats-Unis et de l'Etat où elles résident. Aucun Etat ne fera ou n'appliquera de loi qui restreindrait les privilèges ou immunités des citoyens des Etats-Unis; ni ne privera aucune personne de vie, de liberté ou de propriété sans procédure légale convenable *(without due process of law)* (32); ni ne refusera à quiconque relève de sa juridiction l'égale protection des lois. — SECTION 2 : Les représentants seront répartis entre les divers Etats proportionnellement à leurs populations respectives, en comptant la totalité des habitants de chaque Etat, à l'exclusion des Indiens non imposés. Mais, quand le droit de voter à l'élection d'électeurs des Président et Vice-président des Etats-Unis, de représentants au Congrès, de fonctionnaires exécutifs et judiciaires d'un Etat ou des membres de la législature de celui-ci, est dénié à des

(31) Voir le 20ᵉ amendement.
(32) Voir note 29.

habitants [*mâles*] (33) de cet Etat, [*âgés de vingt et un ans*] (34) et citoyens des Etats-Unis, ou restreint d'une quelconque manière, sauf en cas de participation à une rebellion ou d'un autre crime, la base de la représentation dudit Etat sera réduite dans la proportion existant entre le nombre des citoyens [*mâles*] visés et le nombre total des citoyens [*mâles*] âgés de [*vingt et un ans*]. — SECTION 3 : Nul ne sera sénateur ou représentant au Congrès, ou électeur des Président et Vice-président, ni ne tiendra aucune fonction civile ou militaire relevant des Etats-Unis ou de l'un quelconque des Etats, qui, ayant préalablement prêté serment, comme membre du Congrès, ou fonctionnaire des Etats-Unis, ou membre d'une législature d'Etat, ou fonctionnaire exécutif ou judiciaire d'un Etat, de défendre la constitution des Etats-Unis, aura pris part à une insurrection ou à une rébellion contre elle, ou donné aide ou facilités à ses ennemis. Mais le Congrès pourra, par un vote des deux tiers de chaque chambre, lever cette incapacité. — SECTION 4 : La validité de la dette publique des Etats-Unis, autorisée par la loi, y compris les dettes contractées pour le paiement de pensions et de primes pour services dans la répression d'une insurrection ou d'une rébellion, ne sera pas mise en question. Mais ni les Etats-Unis, ni aucun Etat n'assumeront ni ne payeront aucune dette ou obligation contractées dans l'aide d'une insurrection ou rébellion contre les Etats-Unis, ni aucune réclamation pour la perte ou l'émancipation d'esclaves; au contraire toutes dettes, obligations et réclamations de cette nature seront tenues pour illégales et nulles. — SECTION 5 : Le Congrès aura pouvoir pour donner effet aux dispositions du présent article par une législation appropriée.

ART. XV (26 février 1869 - 30 mars 1870) **[Droit de suffrage]**. — SECTION 1 : Le droit des citoyens des Etats-Unis de voter ne sera dénié ou restreint ni par les Etats-Unis, ni par aucun Etat, pour raison de race, couleur ou condition antérieure de servitude. — SECTION 2 : Le Congrès aura pouvoir pour donner effet au présent article par une législation appropriée.

ART. XVI (12 juillet 1909 - 25 février 1913) **[Impôt sur le revenu]**. — Le Congrès aura le pouvoir d'établir et de percevoir des impôts sur les revenus, de quelque source qu'ils proviennent, sans répartition parmi les divers Etats, et sans égard à aucun recensement ou dénombrement.

ART. XVII (13 mai 1912 - 31 mai 1913) **[Election des sénateurs]**. — *(1)* Le Sénat des Etats-Unis sera composé de deux sénateurs de chaque Etat, élus par le peuple de cet Etat pour six ans; et chaque sénateur aura une voix. Les électeurs dans chaque Etat auront les qualités requises pour être électeurs de la branche la plus nombreuse de la législature de l'Etat. — *(2)* Quand des vacances se produiront dans la représentation d'un Etat au Sénat, l'autorité

(33) Voir le 19e amendement.
(34) Voir le 26e amendement.

exécutive de cet Etat émettra des *writs* d'élection pour pourvoir à ces vacances, mais la législature de chaque Etat pourra donner à l'exécutif de celui-ci le pouvoir de procéder à des nominations temporaires jusqu'à ce que le peuple pourvoie aux vacances par élection de la façon que la législature déterminera. — *(3)* Le présent amendement ne sera pas interprété comme affectant l'élection ou la durée du mandat de tout sénateur choisi avant qu'il n'acquière force exécutoire comme partie de la constitution.

ART. XVIII (18 décembre 1917 - 29 janvier 1919) **[Prohibition]**. — SECTION 1 : [*Une année après la ratification du présent article, la fabrication, la vente ou le transport des boissons enivrantes, l'importation desdites boissons ou leur exportation, seront interdits par les présentes aux Etats-Unis et dans tout territoire soumis à leur juridiction en la matière.* — SECTION 2 : *Le Congrès et les divers Etats auront concurremment pouvoir pour donner effet au présent article par une législation appropriée.* — SECTION 3 : *Le présent article sera inopérant à moins d'être ratifié comme amendement à la constitution par les législatures des divers Etats, de la manière prévue dans la constitution, dans les sept années qui suivront la date de sa présentation aux Etats par le Congrès*] (35).

ART. XIX (4 juin 1919 - 26 août 1920) **[Suffrage des femmes]**. — *(1)* Le droit de vote des citoyens des Etats-Unis ne pourra être dénié ou restreint pour raison de sexe par les Etats-Unis ni l'un quelconque des Etats. — *(2)* Le Congrès aura pouvoir pour donner effet au présent article par une législation appropriée.

ART. XX (2 mars 1932 - 6 février 1933) **[Entrée en fonction des membres du Congrès et du Président]**. — SECTION 1 : Les mandats du Président et du Vice-président prendront fin à midi, le vingtième jour de janvier, et les mandats des sénateurs et des représentants à midi, le troisième jour de janvier, des années au cours desquelles ces mandats auraient pris fin si le présent article n'avait pas été ratifié; et les mandats de leurs successeurs commenceront alors. — SECTION 2 : Le Congrès s'assemblera au moins une fois l'an, et cette réunion commencera à midi, le troisième jour de janvier, à moins que, par une loi, il ne fixe un jour différent. — SECTION 3 : Si, à la date fixée pour le commencement du mandat du Président, le Président élu est décédé, le Vice-président élu deviendra Président. Si un Président n'a pas été choisi avant la date fixée pour le commencement de son mandat, ou si le Président élu ne remplit pas les conditions, alors le Vice-président élu fera fonction de Président jusqu'à ce qu'un Président remplisse les conditions; et le Congrès peut, par une loi, pourvoir au cas où ni un Président élu, ni un Vice-président élu ne rempliraient les conditions en désignant qui fera alors fonction de Président, ou la manière selon laquelle une personne qui fera fonction de Président sera choisie,

(35) Voir le 21e amendement.

et ladite personne agira en cette qualité jusqu'à ce qu'un Président ou un Vice-président remplisse les conditions. — SECTION 4 : Le Congrès peut par une loi pourvoir au cas de décès de l'une des personnes parmi lesquelles la Chambre des représentants peut choisir un Président lorsque le droit de choisir lui est dévolu, et au cas de décès de l'une des personnes parmi lesquelles le Sénat peut choisir un Vice-président lorsque le droit de choisir lui est dévolu. — SECTION 5 : Les sections 1 et 2 prendront effet le quinzième jour d'octobre suivant la ratification du présent article. — SECTION 6 : Le présent article sera inopérant à moins d'être ratifié comme amendement à la constitution par les législatures des trois quarts des divers Etats, dans les sept années qui suivront la date de sa soumission.

ART. XXI (20 février 1933 - 5 décembre 1933) **[Prohibition].** — SECTION 1 : Le dix-huitième amendement à la constitution des Etats-Unis est abrogé par les présentes. — SECTION 2 : Le transport ou l'importation dans tout Etat, territoire ou possession des Etats-Unis, de boissons enivrantes pour livraison ou consommation en violation des lois de ceux-ci sont interdits par les présentes. — SECTION 3 : Le présent article sera inopérant à moins d'être ratifié comme amendement à la constitution par convention dans les divers Etats ainsi que prévu dans la constitution, dans les sept années qui suivront la date de la soumission de celui-ci aux Etats par le Congrès.

ART. XXII (21 mars 1947 - 27 février 1951) **[Nombre de mandats présidentiels].** — SECTION 1 : Nul ne sera élu aux fonctions de Président plus deux fois, et nul, s'il a occupé les fonctions de Président, ou agi en qualité de Président, pendant plus de deux ans d'un mandat pour lequel quelque autre personne était élue Président, ne sera élu aux fonctions de Président plus d'une fois. Mais cet article ne s'appliquera pas à toute personne ayant occupé les fonctions de Président quand cet article fut proposé par le Congrès, et il n'empêchera pas quiconque pourrait occuper les fonctions de Président, ou agir en qualité de Président, durant le mandat au cours duquel cet article deviendrait exécutoire, d'occuper les fonctions de Président ou d'agir en qualité de Président durant le reste de ce mandat. — SECTION 2 : Le présent article sera inopérant à moins d'être ratifié comme amendement à la constitution par les législatures des trois quarts des divers Etats dans les sept années de sa soumission aux Etats par le Congrès.

ART. XXIII (17 juin 1960 - 29 mars 1961) **[District de Columbia].** — SECTION 1 : Le district constituant le siège du gouvernement des Etats-Unis désignera selon telle manière que pourra déterminer le Congrès un nombre d'électeurs du Président et du Vice-président équivalant au nombre total des sénateurs et représentants au Congrès auquel ce district aurait droit s'il était un Etat, mais en aucun cas supérieur à celui de l'Etat le moins peuplé; ces électeurs se joindront à ceux désignés par les Etats et ils seront considérés, pour les besoins de l'élection du Président et du Vice-président, comme désignés par un Etat; et ils se réuniront dans le district et rempliront les devoirs prévus par le douzième article d'amendement. — SECTION 2 : Le Congrès aura pouvoir pour donner effet au présent article par une législation appropriée.

ART. XXIV (27 août 1962 - 4 février 1964) **[Exclusion des taxes électorales]**. — SECTION 1 : Le droit des citoyens des Etats-Unis de voter à toute élection primaire ou autre élection du Président ou du Vice-président, des électeurs du Président et du Vice-président, ou des sénateurs ou représentants au Congrès, ne sera pas dénié ou restreint par les Etats-Unis, ou par aucun Etat, pour cause de manquement au paiement d'une taxe électorale *(poll tax)* ou de tout autre impôt. — SECTION 2 : Le Congrès aura pouvoir pour donner effet au présent article par une législation appropriée.

ART. XXV (6 juillet 1965 - 23 février 1967) **[Nomination du Vice-président; incapacité du Président]**. — SECTION 1 : En cas de destitution, décès ou démission du Président, le Vice-président deviendra Président. — SECTION 2 : Quand il y aura une vacance dans les fonctions de Vice-président, le Président présentera un Vice-président qui entrera en fonction après confirmation par un vote majoritaire des deux chambres du Congrès. — SECTION 3 : Quand le Président transmet au président *pro tempore* du Sénat et au président de la Chambre des représentants une déclaration écrite aux termes de laquelle il est incapable d'assumer les pouvoirs et devoirs de ses fonctions, et jusqu'à ce qu'il leur transmette une déclaration écrite du contraire, ces pouvoirs et devoirs seront assumés par le Vice-président en qualité de Président par intérim. — SECTION 4 : Quand le Vice-président et une majorité des principaux fonctionnaires des départements exécutifs ou de tel autre corps que le Congrès peut déterminer par loi transmettent au président *pro tempore* du Sénat et au président de la Chambre des représentants une déclaration écrite aux termes de laquelle le Président est incapable d'assumer les pouvoirs et devoirs de ses fonctions, le Vice-président assume immédiatement les pouvoirs et devoirs de ces fonctions en qualité de Président par intérim. Par la suite, quand le Président transmettra au président *pro tempore* du Sénat et au président de la Chambre des représentants une déclaration écrite aux termes de laquelle aucune incapacité n'existe, il reprendra les pouvoirs et devoirs de ses fonctions, à moins que le Vice-président et une majorité des principaux fonctionnaires des départements exécutifs ou de tel autre corps que le Congrès peut déterminer par loi, ne transmettent dans les quatre jours au président *pro tempore* du Sénat et au président de la Chambre des représentants une déclaration écrite aux termes de laquelle le Président est incapable d'assumer les pouvoirs et devoirs de sa charge. Le Congrès devra alors décider d'une solution, s'assemblant à cette fin dans les quarante-huit heures s'il n'est pas en session. Si, dans les vingt et un jours après réception de la dernière déclaration écrite, ou, si le Congrès n'est pas en session, dans les vingt et un jours après que le Congrès a été requis de s'assembler, le Congrès décide par un vote des deux tiers des deux chambres que le Président est incapable d'assumer les pouvoirs et devoirs de ses fonctions, le Vice-président continuera à assumer ces fonctions en qualité de Président par intérim; dans le cas contraire, le Président reprendra les pouvoirs et devoirs de ses fonctions.

ART. XXVI (23 mars 1971 - 5 juillet 1971) **[Vote à dix-huit ans]**. — SECTION 1 : Le droit des citoyens des Etats-Unis, qui sont âgés de dix-huit ans ou plus, de voter ne sera pas dénié ou restreint par les Etats-Unis ou l'un quelconque des Etats pour raison d'âge. — SECTION 2 : Le Congrès aura pouvoir pour donner effet au présent article par une législation appropriée (36).

(36) L'*Equal Rights Amendment (ERA)*, dont l'objet était de promouvoir une totale égalité sexuelle, vient, après des débats passionnés, d'échouer de justesse : il n'a en effet pas été ratifié par le nombre d'Etats nécessaire dans le délai prévu qui expirait au 30 juin 1982. Il y a de même peu de chances qu'un amendement proposé en août 1978 par le Congrès et accordant au District de Columbia une représentation au Congrès soit ratifié dans le délai prévu qui expire en 1985.

CHAPITRE III

LA RÉPUBLIQUE FÉDÉRALE D'ALLEMAGNE

I. — Loi fondamentale du 23 mai 1949 (1)

PRÉAMBULE. — Conscient de sa responsabilité devant Dieu et devant les hommes, animé de la volonté de défendre son unité nationale et politique et de contribuer à la paix mondiale en tant que membre à part entière d'une Europe unie, le peuple allemand dans les Länder de Bade, Basse-Saxe, Bavière, Brême, Hambourg, Hesse, Rhénanie du Nord-Westphalie, Rhénanie-Palatinat, Slesvig-Holstein, Wurtemberg-Bade et Wurtemberg-Hohenzollern, afin de donner un ordre nouveau à la vie politique durant une période transitoire, a, en vertu de son pouvoir constitutionnel, adopté la présente Loi fondamentale de la République fédérale d'Allemagne. Il a également agi au nom des Allemands à qui il a été interdit de collaborer à cette tâche. Le peuple allemand dans son ensemble disposant librement de lui-même reste convié à parachever l'unité et la liberté de l'Allemagne.

1. Les droits fondamentaux

ARTICLE PREMIER **[Protection des droits de l'homme].** — *(1)* La dignité de l'homme est intangible. Tout pouvoir public est tenu de la respecter et de la protéger. — *(2)* En conséquence, le peuple allemand reconnaît à l'homme des droits inviolables et imprescriptibles comme fondement de toute communauté humaine, de la paix et de la justice dans le monde. — *(3)* Les droits fondamentaux énoncés ci-dessous lient le pouvoir législatif, le pouvoir exécutif et le pouvoir judiciaire à titre de droit directement applicable.

(1) Traduction publiée par l'Office de Presse et d'Information du gouvernement de la République fédérale d'Allemagne ; les nombreuses modifications intervenues depuis 1949 sont intégrées au texte (les dernières datent de 1976). Pour gagner de la place, les alinéas, au sein de chaque article, ne sont marqués que par leur numéro : — *(1)*, — *(2)*, etc.

ART. 2 **[Dignité de la personne humaine]**. — *(1)* Chacun a droit au libre développement de sa personnalité, pourvu qu'il ne porte pas atteinte aux droits d'autrui, à l'ordre constitutionnel ou à la loi morale. — *(2)* Chacun a droit à la vie et à l'intégrité physique. La liberté de la personne est inviolable. Des restrictions ne peuvent être apportées à ces droits qu'en vertu d'une loi.

ART. 3 **[L'égalité devant la loi]**. — *(1)* Tous les hommes sont égaux devant la loi. — *(2)* Les hommes et les femmes ont les mêmes droits. — *(3)* Nul ne doit être ni désavantagé ni favorisé en raison de son sexe, de son ascendance, de sa race, de sa langue, de sa patrie et de son origine, de sa croyance et de ses conceptions religieuses ou politiques.

ART. 4 **[Liberté de croyance]**. — *(1)* La liberté de croyance et de conscience et la liberté de profession de foi religieuse et philosophique sont inviolables. — *(2)* Le libre exercice du culte est garanti. — *(3)* Nul ne doit être astreint, contre sa conscience, au service armé en temps de guerre. Les modalités feront l'objet d'une loi fédérale.

ART. 5 **[Liberté d'expression]**. — *(1)* Chacun a le droit d'exprimer et de diffuser librement son opinion par la parole, par écrit et par l'image, et de s'informer librement aux sources généralement accessibles. La liberté de presse et la liberté de l'information par la radio et par le film sont garanties. Il n'y a pas de censure. — *(2)* Ces droits sont limités par les prescriptions des lois générales, par les dispositions légales sur la protection de la jeunesse et par le droit au respect de l'honneur personnel. — *(3)* L'art et la science, la recherche et l'enseignement sont libres. La liberté de l'enseignement ne dispense pas de la fidélité à la constitution.

ART. 6 **[Mariage, famille, enfants illégitimes]**. — *(1)* Le mariage et la famille bénéficient de la protection particulière de l'ordre politique. — *(2)* Les soins à donner aux enfants et l'éducation de ceux-ci sont un droit naturel des parents et une obligation qui leur échoit en premier lieu. L'accomplissement de ce devoir est surveillé par la communauté nationale. — *(3)* Les enfants ne peuvent être séparés de leur famille contre le gré de ceux qui ont la charge de leur éducation qu'en vertu d'une loi, lorsque ces derniers manquent à leur devoir ou lorsque les enfants risquent d'être laissés à l'abandon pour d'autres motifs. — *(4)* Toute mère a droit à la protection et à l'assistance de la communauté. — *(5)* La législation doit asurer aux enfants naturels les mêmes conditions qu'aux enfants légitimes en ce qui concerne leur développement physique et moral et leur situation sociale.

ART. 7 **[L'enseignement scolaire]**. — *(1)* Tout l'enseignement est placé sous la surveillance de l'Etat. — *(2)* Les personnes chargées de l'éducation d'enfants ont le droit de décider de la participation de ceux-ci à l'instruction religieuse. — *(3)* L'instruction religieuse est une matière d'enseignement ordinaire dans les écoles publiques à l'exception des écoles laïques. Sans préjudice du droit de surveillance de l'Etat, l'instruction religieuse est dispensée en accord avec les principes des différentes religions. Nul enseignant ne peut être contraint à enseigner la religion contre son gré. — *(4)* Le droit de fonder des écoles privées est garanti. Les écoles privées qui remplacent des écoles publiques sont soumises à l'approbation de l'Etat et régies par les lois des Länder. L'approbation doit être donnée si les écoles privées ne sont pas inférieures aux écoles publiques en ce qui concerne les buts de leur enseignement, leurs installations ainsi que la formation scientifique de leur personnel enseignant et si elles ne favorisent pas une discrimination entre les élèves, fondée sur la situation de fortune des parents. L'approbation doit être refusée si la situation économique et juridique du personnel enseignant n'est pas suffisamment assurée. — *(5)* Une école primaire privée ne doit être admise que si l'administration de l'instruction publique reconnaît qu'elle présente un intérêt pédagogique particulier ou, sur la demande de personnes chargées de l'éducation d'enfants, si cette école doit avoir un statut confessionnel, interconfessionnel ou philosophique, et s'il n'existe pas d'école primaire publique de ce genre dans la commune. *(6)* Les écoles préparatoires restent supprimées.

ART. 8 **[Liberté de réunion]**. — *(1)* Tous les Allemands ont le droit de se réunir paisiblement et sans armes, sans déclaration ni autorisation préalables. — *(2)* En ce qui concerne les réunions en plein air, ce droit peut être restreint par une loi ou en vertu d'une loi.

ART. 9 **[Liberté d'association]**. — *(1)* Tous les Allemands ont le droit de former des associations et des sociétés. — *(2)* Les associations dont les buts ou les activités sont contraires aux lois pénales ou qui sont dirigées soit contre l'ordre constitutionnel, soit contre l'idée d'entente entre les peuples sont interdites. — *(3)* Le droit de former des associations en vue de sauvegarder et d'améliorer les conditions de travail et les conditions économiques est garanti pour tout le monde et pour toutes les professions. Les accords qui restreignent ce droit ou cherchent à en empêcher l'exercice sont nuls et les mesures prises dans ce sens sont illégales. Les mesures prévues aux art. 12 *a*, 35, al. 2 et 3, 87 *a*, al. 4, et 91 ne doivent pas être prises contre les conflits sociaux destinés à sauvegarder et à améliorer les conditions de travail et les conditions économiques d'associations au sens de la phrase 1.

ART. 10 **[Secret de la correspondance, de la poste et des télécommunications]**. — *(1)* Le secret de la correspondance, de la poste et des télécommunications est inviolable. — *(2)* Des restrictions à ce secret ne peuvent être ordonnées qu'en vertu d'une loi. Si la restriction vise à protéger le régime libéral et démocratique, l'existence ou la sécurité de la Fédération ou d'un Land, la loi peut stipuler que l'intéressé n'en soit pas informé et qu'au lieu de suivre la voie judiciaire, le contrôle soit effectué par les organes principaux et auxiliaires désignés par la représentation populaire.

ART. 11 **[Liberté de circulation]**. — *(1)* Tous les Allemands jouissent de la liberté de circulation sur tout le territoire fédéral. — *(2)* Ce droit ne peut être restreint que par la loi ou en vertu d'une loi et dans les seuls cas où il n'y a pas de base d'existence suffisante et où il résulterait des charges particulières pour la collectivité, ainsi que dans les cas où la restriction est nécessaire pour parer à un danger menaçant l'existence ou le régime libéral et démocratique de la Fédération ou d'un Land, pour lutter contre un danger d'épidémie, contre des cataclysmes ou des accidents particulièrement graves, pour préserver la jeunesse de l'abandon ou pour prévenir des délits.

ART. 12 **[Libre choix de la profession]**. — *(1)* Tous les Allemands ont le droit de choisir librement leur profession, leur emploi et le lieu où ils reçoivent leur formation professionnelle. L'exercice de la profession peut être réglémenté par loi ou en vertu d'une loi. — *(2)* Nul ne peut être astreint à un travail déterminé, si ce n'est à un service dans le cadre d'une obligation coutumière générale, égale pour tous et de caractère public. — *(3)* Le travail forcé n'est admissible que dans les cas d'une peine privative de liberté prononcée par un tribunal.

ART. 12 *a* **[Service militaire et autres obligations de service]**. — *(1)* Les hommes peuvent, à compter de l'âge de dix-huit ans révolus, être enrôlés dans les forces armées, dans le corps de gardes-frontières fédéral ou dans une organisation de la protection civile. — *(2)* Quiconque, pour des motifs de conscience, refuse d'accomplir le service armé en temps de guerre, peut être astreint à un service en tenant lieu. La durée du service de remplacement ne doit pas dépasser la durée du service militaire. Les modalités seront réglées par une loi qui ne doit pas entraver la liberté de conscience et qui doit prévoir aussi la possibilité d'un service de remplacement n'ayant aucun rapport avec les forces armées et le corps fédéral de gardes-frontières. — *(3)* Les personnes astreintes au service militaire qui ne sont pas enrôlées dans un service prévu à l'al. 1er ou 2 peuvent pendant l'état de défense être affectées par loi ou en vertu d'une loi à un service civil aux fins de la défense, y compris à la protection de la population civile, dans le cadre d'un contrat de travail; les affectations aux services de droit public ne sont admissibles que pour assumer des tâches policières ou des tâches souveraines de l'administration publique qui ne peuvent être accomplies que dans le cadre d'un contrat de service de droit public. Les rapports de travail prévus à la phrase 1 peuvent être fondés auprès des forces armées, auprès de leur intendance, ainsi qu'auprès de l'administration publique; les affectations à l'approvisionnement de la population civile ne sont admises que pour couvrir ses besoins vitaux ou pour assurer sa protection. — *(4)* Si pendant l'état de défense les besoins en services civils des établissements sanitaires civils et des hôpitaux militaires fixes ne peuvent être couverts à titre bénévole, les femmes âgées de dix-huit ans révolus à cinquante-cinq ans révolus peuvent être affectées à ces services par loi ou en vertu d'une loi.

En aucun cas elles ne doivent être employées à un service armé. — *(5)* Dans la période précédant l'état de défense, il ne peut être procédé à des affectations aux termes de l'al. 3 que conformément à l'art. 80 *a*, al. 1er. En vue de préparer les prestations de services prévues aux termes de l'al. 3 qui requièrent des connaissances ou de la pratique, la participation à un exercice d'entraînement peut être rendue obligatoire par loi ou en vertu d'une loi. Dans ce cas la phrase 1 ne s'applique pas. — *(6)* Si pendant l'état de défense le besoin en main-d'œuvre des secteurs mentionnés à l'al. 3, phrase 2, ne peut être couvert à titre bénévole, la liberté des Allemands de renoncer à l'exercice d'une profession ou de quitter leur lieu de travail peut être restreinte par loi ou en vertu d'une loi pour garantir la couverture de ce besoin en main-d'œuvre. L'al. 5, phrase 1, est en vigueur avant l'état de défense.

ART. 13 **[Inviolabilité du domicile]**. — *(1)* Le domicile est inviolable. — *(2)* Des perquisitions ne peuvent être ordonnées que par le juge ainsi que, s'il y a péril en la demeure, par les autres organismes prévus par les lois; elles ne peuvent être effectuées que dans la forme y prescrite. — *(3)* Des dérogations et des restrictions ne peuvent d'ailleurs être apportées à cette inviolabilité que pour parer à un danger commun ou à un danger menaçant la vie individuelle ainsi que, en vertu d'une loi, pour prévenir des dangers imminents menaçant la sécurité et l'ordre publics, notamment pour remédier à la pénurie de logements, pour lutter contre les épidémies ou pour protéger la jeunesse en danger.

ART. 14 **[Propriété, droit de succession et expropriation]**. — *(1)* La propriété et le droit de succession sont garantis. Leur contenu et leurs limites sont fixés par les lois. — *(2)* La propriété oblige. Son usage doit en même temps contribuer au bien public. — *(3)* L'expropriation n'est admissible que dans l'intérêt général. Elle ne peut être effectuée que par la loi ou en vertu d'une loi qui fixe le mode et le montant de l'indemnisation. L'indemnisation doit être fixée en tenant un juste compte de l'intérêt général et de celui des parties intéressées. Le recours devant les tribunaux ordinaires est ouvert en cas de litige portant sur le montant de l'indemnisation.

ART. 15 **[Socialisation]**. — Le sol, les ressources naturelles et les moyens de production peuvent être transférés, aux fins de socialisation, en propriété collective ou en d'autres formes d'économie collective, par une loi qui fixe le mode et le montant de l'indemnisation. L'al. 3 de l'art. 14, 3e et 4e phrases, s'applique par analogie à l'indemnisation.

ART. 16 **[Perte de la nationalité, extradition, droit d'asile]**. — *(1)* La nationalité allemande ne peut être retirée. La perte de la nationalité ne peut se produire qu'en vertu d'une loi et elle ne peut intervenir contre le gré de l'intéressé si elle a pour effet de le rendre apatride. — *(2)* Aucun Allemand ne doit être extradé à l'étranger. Les persécutés politiques jouissent du droit d'asile.

ART. 17 **[Droit de pétition]**. — Chacun a le droit d'adresser par écrit, individuellement ou conjointement avec d'autres, des requêtes ou des réclamations aux autorités compétentes et à la représentation du peuple.

ART. 17 *a* **[Limitation de droits fondamentaux pour les militaires].** — *(1)* Les lois sur le service militaire et le service de remplacement peuvent prévoir, pour les membres des forces armées et du service de remplacement, une limitation, pendant la durée de leur service, du droit fondamental d'exprimer et de diffuser librement son opinion par la parole, par écrit et par l'image (1re partie de la 1re phrase de l'al. 1er de l'art. 5), du droit fondamental de la liberté de réunion (art. 8) et du droit de pétition (art. 17), dans la mesure où celui-ci confère le droit de présenter des requêtes ou des réclamations conjointement avec d'autres. — *(2)* Les lois destinées à la défense, y compris la protection de la population civile, peuvent prévoir la limitation des droits fondamentaux de la liberté de mouvement (art. 11) et de l'inviolabilité du domicile (art. 13).

ART. 18 **[Déchéance des droits fondamentaux].** — Quiconque mésuse de la liberté d'expression, notamment de la liberté de presse (al. 1er de l'art. 5), de la liberté d'enseignement (al. 3 de l'art. 5), de la liberté de réunion (art. 8), de la liberté d'association (art. 9), du secret de la correspondance, de la poste et des télécommunications (art. 10), de la propriété (art. 14) ou du droit d'asile (al. 2 de l'art. 16) pour lutter contre la liberté et la démocratie est déchu de ces droits fondamentaux. Le Tribunal constitutionnel fédéral prononce la déchéance et en fixe l'étendue.

ART. 19 **[Restriction de droits fondamentaux].** — *(1)* Dans la mesure où, d'après la présente Loi fondamentale, un droit fondamental peut être restreint par une loi ou en vertu d'une loi, l'application de cette loi doit être générale et ne pas se limiter à un cas particulier. La loi doit en outre spécifier le droit fondamental et indiquer l'article qui l'énonce. — *(2)* En aucun cas il ne peut être porté atteinte à la substance d'un droit fondamental. — *(3)* Les droits fondamentaux s'appliquent aussi aux personnes morales nationales dans la mesure où ils leur sont applicables en raison de leur nature. — *(4)* Quiconque est lésé dans ses droits par l'autorité publique peut recourir à la voie judiciaire. Le recours à la juridiction ordinaire est ouvert si une autre juridiction n'est pas compétente. L'art. 10, al. 2 phrase 2, n'est pas affecté.

2. La Fédération et les Länder

ART. 20 **[Principes constitutionnels. Droit de résistance].** — *(1)* La République fédérale d'Allemagne est un Etat fédéral démocratique et social. — *(2)* La souveraineté émane du peuple. Elle est exercée par le peuple au moyen d'élections et de plébiscites et par des organes spéciaux investis des pouvoirs législatif, exécutif et judiciaire. — *(3)* Le pouvoir législatif est soumis à l'ordre constitutionnel, les pouvoirs exécutif et judiciaire sont soumis à la loi et au droit. — *(4)* A défaut d'autre recours, tous les Allemands ont le droit de résister à quiconque entreprendrait de renverser ce régime constitutionnel.

ART. 21 **[Partis]**. — *(1)* Les partis coopèrent à la formation de la volonté politique du peuple. Leur fondation est libre. Leur organisation interne doit répondre aux principes démocratiques. Ils doivent rendre compte publiquement de la provenance de leurs ressources. — *(2)* Les partis qui, d'après leurs buts ou d'après l'attitude de leurs adhérents, cherchent à porter atteinte à l'ordre fondamental libre et démocratique, à le renverser ou à compromettre l'existence de la République fédérale d'Allemagne sont anticonstitutionnels. Le Tribunal constitutionnel fédéral statue sur la question de l'anticonstitutionnalité. — *(3)* Les modalités seront réglées par des lois fédérales.

. . . .

ART. 24 **[Adhésion à un système collectif de sécurité]**. — *(1)* La Fédération peut transférer, par voie législative, des droits de souveraineté à des institutions internationales. — *(2)* Pour sauvegarder la paix, la Fédération peut adhérer à un système de sécurité mutuelle collective; elle consentira à cet effet aux limitations de ses droits de souveraineté amenant et garantissant un ordre pacifique et durable en Europe et entre les peuples du monde. — *(3)* Pour régler les litiges entre Etats, la Fédération accédera à des conventions sur un arbitrage international général, de portée universelle, et obligatoire.

ART. 25 **[Droit international intégré au droit fédéral]**. — Les règles générales du droit international public forment partie intégrante du droit fédéral. Elles priment les lois et créent directement des droits et des obligations pour les habitants du territoire fédéral.

ART. 26 **[Interdiction de la guerre offensive]**. — *(1)* Les actes susceptibles de troubler la vie en commun et pacifique des peuples, et entrepris dans cette intention même, notamment en vue de préparer une guerre d'agression, sont anticonstitutionnels. Ils doivent être réprimés par la loi (...).

. . . .

ART. 28 **[Garantie fédérale des constitutions régionales]**. — *(1)* L'ordre constitutionnel dans les Länder doit être conforme aux principes d'un Etat de droit républicain, démocratique et social au sens de la présente Loi fondamentale. Dans les Länder, les arrondissements et les communes, le peuple doit avoir une représentation issue d'élections au suffrage universel, direct, libre, égal et secret. Dans les communes, l'assemblée municipale peut tenir lieu d'organisme élu. — *(2)* Aux communes doit être garanti le droit de réglementer, sous leur propre responsabilité, dans le cadre des lois, toutes les questions de la communauté locale. De même, les collectivités municipales ont, dans le cadre de leurs attributions légales, le droit d'autonomie administrative conformément aux lois. — *(3)* La Fédération garantit la conformité de l'ordre constitutionnel des Länder aux droits fondamentaux et aux dispositions des alinéas 1 et 2.

ART. 29 **[Réorganisation du territoire fédéral].** — *(1)* Le territoire fédéral peut être restructuré en vue de permettre aux Länder d'accomplir efficacement les tâches qui leur incombent en fonction de leur dimension et de leur capacité. Il convient de tenir compte des affinités ethniques, du contexte historique et culturel, de l'opportunité économique, ainsi que des impératifs de l'aménagement du territoire et du plan d'équipement. — *(2)* Les mesures de restructuration du territoire fédéral sont prises en vertu d'une loi fédérale qui demande à être confirmée par référendum. Les Länder concernés doivent être consultés (...).

ART. 30 **[Fonctions des Länder].** — L'exercice des pouvoirs publics et l'accomplissement des tâches incombant à l'Etat appartiennent aux Länder, sauf disposition ou autorisation contraire de la présente Loi fondamentale.

ART. 31 **[Primauté du droit fédéral].** — Le droit fédéral prime le droit de Land.

ART. 32 **[Relations avec les Etats étrangers].** — *(1)* La Fédération assure les relations avec les Etats étrangers. — *(2)* Avant la conclusion d'un traité affectant la situation spéciale d'un Land, ce Land doit être consulté en temps utile. — *(3)* Dans la mesure de leur compétence législative, les Länder peuvent, avec l'assentiment du gouvernement fédéral, conclure des traités avec des Etats étrangers.

ART. 33 **[Egalité civique des Allemands].** — *(1)* Tous les Allemands ont, dans chaque Land, les mêmes droits et obligations civiques. — *(2)* Tous les Allemands ont l'égalité d'accès à la fonction publique selon leurs aptitudes, leurs capacités et leurs qualifications professionnelles. — *(3)* La jouissance des droits civils et civiques, l'admission à des charges publiques ainsi que les droits acquis dans la fonction publique sont indépendants de la confession religieuse. Personne ne doit subir de préjudice en raison de sa profession ou non-profession de foi religieuse ou philosophique (...).

. . . .

ART. 35 **[Aide judiciaire, administrative et policière].** — *(1)* Toutes les autorités de la Fédération et des Länder se prêtent mutuellement aide judiciaire et administrative. — *(2)* En vue de maintenir ou de restaurer la sécurité ou l'ordre publics, un Land peut, dans des cas particulièrement importants, faire appel aux effectifs et aux équipements du corps fédéral de gardes-frontières pour seconder sa police si, faute de ce concours, celle-ci n'est pas en mesure de remplir sa mission ou si elle ne le peut qu'au prix de grandes difficultés. En cas de catastrophe naturelle ou d'accident particulièrement grave, un Land peut faire appel à l'aide policière d'autres Länder, aux effectifs et aux équipements d'autres administrations, ainsi qu'au corps fédéral de gardes-frontières et aux forces armées. — *(3)* Si la catastrophe naturelle ou l'accident met en péril un territoire plus vaste qu'un Land, le gouvernement fédéral peut dans un but d'efficacité enjoindre aux gouvernements des Länder de détacher des forces de police d'autres Länder, ainsi que des unités du corps de gardes-frontières et des forces armées pour servir de renfort aux forces de police. Les mesures prises par le gouvernement fédéral en vertu de la phrase 1 doivent être rapportées à la demande du Bundesrat, sinon immédiatement après la suppression du danger.

. . . .

ART. 37 **[Contrainte fédérale]**. — *(1)* Si un Land ne remplit pas les obligations de caractère fédéral qui lui incombent en vertu de la Loi fondamentale ou d'une autre loi fédérale, le gouvernement fédéral peut, avec l'approbation du Bundesrat, prendre les mesures nécessaires pour que le Land soit tenu, par voie de contrainte fédérale, de remplir ses obligations. — *(2)* Pour assurer l'exécution de la contrainte fédérale, le gouvernement fédéral ou son mandataire a le droit de donner des instructions à tous les Länder et à leurs autorités.

3. Le Bundestag

ART. 38 **[Elections]**. — *(1)* Les députés au Bundestag allemand sont élus au suffrage universel, direct, libre, égal et secret. Ils représentent l'ensemble du peuple, ne sont tenus ni par des mandats ni par des instructions et ne sont soumis qu'à leur conscience. — *(2)* L'électorat s'acquiert à dix-huit ans accomplis, l'éligibilité à l'âge de la majorité. — *(3)* Les modalités feront l'objet d'une loi fédérale.

ART. 39 **[Réunion et législature]**. — *(1)* Le Bundestag est élu pour quatre ans. Son mandat législatif prend fin lors de la réunion d'un nouveau Bundestag. Les nouvelles élections ont lieu au plus tôt quarante-cinq mois et au plus tard quarante-sept mois après le début de la législature. En cas de dissolution du Bundestag, les nouvelles élections ont lieu en l'espace de soixante jours. — *(2)* Le Bundestag se réunit au plus tard le trentième jour après les élections. — *(3)* Le Bundestag fixe la clôture et la reprise de ses sessions. Le président du Bundestag peut le convoquer à une date antérieure. Il est tenu de le faire sur demande d'un tiers des membres, du président de la République fédérale ou du chancelier fédéral.

ART. 40 **[Président, règlement intérieur]**. — *(1)* Le Bundestag élit son président, les vice-présidents et les secrétaires. Il fixe son règlement intérieur. — *(2)* Le président est chargé de veiller à la sûreté et d'exercer les pouvoirs de police dans les bâtiments du Bundestag. Aucune perquisition ou saisie ne peut être effectuée sans son autorisation dans les locaux du Bundestag.

ART. 41 **[Vérification des pouvoirs]**. — *(1)* La vérification des pouvoirs est du ressort du Bundestag. Celui-ci prononce également la déchéance du mandat de ses membres. — *(2)* Contre la décision du Bundestag, le recours devant le Tribunal constitutionnel fédéral est ouvert. — *(3)* Les modalités feront l'objet d'une loi fédérale.

ART. 42 **[Débats; scrutin]**. — *(1)* Les débats du Bundestag sont publics. Le huis clos peut être prononcé à la majorité des deux tiers, sur demande d'un dixième de ses membres ou sur demande du gouvernement fédéral (...). — *(2)* Le Bundestag statue à la majorité des voix exprimées, sauf disposition contraire de la présente Loi fondamentale. Le règlement intérieur peut admettre des exceptions pour les scrutins auxquels doit procéder le Bundestag (...).

ART. 43 **[Présence du gouvernement fédéral]**. — *(1)* Le Bundestag et ses commissions peuvent exiger la présence de tout membre du gouvernement fédéral. — *(2)* Les membres du Bundesrat et du gouvernement fédéral ainsi que leurs délégués ont accès à toutes les séances du Bundestag et de ses commissions. Ils doivent être entendus à tout moment.

ART. 44 **[Commissions d'enquête]**. — *(1)* Le Bundestag a le droit et, sur demande d'un quart de ses membres, l'obligation de nommer une commission d'enquête chargée de recueillir les preuves nécessaires en audience publique. Le huis clos peut être prononcé. — *(2)* Les règles de la procédure pénale s'appliquent par analogie à la procédure d'administration des preuves. Le secret de la correspondance, de la poste et des télécommunications n'est pas affecté. — *(3)* Les tribunaux et les autorités administratives sont tenus de prêter aide judiciaire et administrative. — *(4)* Les décisions des commissions d'enquête ne sont pas soumises à l'examen des tribunaux. Ceux-ci sont libres d'apprécier et de juger les faits qui font l'objet de l'enquête.

. . . .

ART. 45 *b* **[Commissaire à la défense]**. — Un commissaire à la défense sera nommé par le Bundestag en vue de la sauvegarde des droits fondamentaux et pour aider le Bundestag dans l'exercice du contrôle parlementaire. Une loi fédérale réglera les modalités.

. . . .

ART. 46 **[Immunité parlementaire]**. — *(1)* Un député ne peut à aucun moment faire l'objet de poursuites judiciaires ou disciplinaires, ni être mis en cause d'une autre façon hors du Bundestag en raison d'un vote émis ou d'une déclaration faite par lui au Bundestag ou au sein de l'une de ses commissions. Cette disposition ne s'applique pas aux injures diffamatoires. — *(2)* Un député ne peut être mis en cause ou arrêté en raison d'un acte réprimé par la loi qu'avec l'approbation du Bundestag, à moins qu'il n'ait été arrêté en flagrant délit ou le lendemain du jour où il a commis cet acte. — *(3)* L'approbation du Bundestag est, en outre, nécessaire pour toutes autres limitations apportées à la liberté personnelle d'un député ou pour l'introduction contre un député de la procédure prévue à l'art. 18. — *(4)* Toute procédure pénale et toute procédure au sens de l'art. 18, intentées contre un député, toute détention et toute autre limitation de sa liberté personnelle doivent être suspendues sur demande du Bundestag.

. . . .

ART. 48 **[Droits des députés]**. — *(1)* Tout candidat à un siège au Bundestag a droit au congé nécessaire à la préparation de son élection. — *(2)* Nul ne doit être empêché d'être investi d'un mandat parlementaire et de l'exercer. Toute dénonciation d'un contrat d'emploi ou tout licenciement pour ce motif est interdit. — *(3)* Les députés ont droit à une indemnité équitable qui assure leur indépendance. Ils ont le droit d'utiliser gratuitement tous les moyens de transport de l'Etat. Les modalités feront l'objet d'une loi fédérale.

. . . .

4. Le Bundesrat

Art. 50 **[Fonction].** — Par l'intermédiaire du Bundesrat, les Länder participent à la législation et à l'administration de la Fédération.

Art. 51 **[Composition].** — *(1)* Le Bundesrat se compose de membres des gouvernements des Länder, qui les nomment et les révoquent. Ils peuvent se faire représenter par d'autres membres de leur gouvernement. — *(2)* Chaque Land dispose d'au moins trois voix, les Länder qui comptent plus de deux millions d'habitants en ont quatre, ceux qui comptent plus de six millions d'habitants en ont cinq. — *(3)* Chaque Land peut déléguer autant de membres qu'il a de voix. Les voix d'un Land ne peuvent être exprimées que globalement et seulement par des membres présents ou leurs suppléants.

Art. 52 **[Président, règlement intérieur].** — *(1)* Le Bundesrat élit son président pour un an. — *(2)* Le président convoque le Bundesrat. Il doit le faire sur demande des représentants de deux Länder au moins ou du gouvernement fédéral. — *(3)* Le Bundesrat statue à la majorité au moins de ses voix. Il fixe son règlement intérieur. Ses débats sont publics. Le huis clos peut être prononcé. — *(4)* Les commissions du Bundesrat peuvent comprendre d'autres membres ou des délégués des gouvernements des Länder.

Art. 53 **[Participation du gouvernement fédéral].** — Les membres du gouvernement fédéral ont le droit et, sur demande, l'obligation de prendre part aux débats du Bundesrat et de ses commissions. Ils doivent être entendus à tout moment. Le Bundesrat doit être tenu au courant de la conduite des affaires par le gouvernement fédéral.

. . . .

5. Le président de la République fédérale

Art. 54 **[Election par l'Assemblée fédérale].** — *(1)* Le président de la République fédérale est élu sans discussion par l'Assemblée fédérale. Est éligible tout Allemand ayant le droit de vote dans les élections au Bundestag et âgé de 40 ans révolus. — *(2)* La durée des fonctions du président de la République fédérale est de cinq ans. Il ne peut être réélu consécutivement qu'une seule fois. — *(3)* L'Assemblée fédérale se compose des membres du Bundestag et d'un nombre égal de membres élus selon les principes de la représentation proportionnelle par les assemblées représentatives des Länder (...). — *(6)* Est élu le candidat qui obtient la majorité des voix des membres de l'Assemblée fédérale. Si aucun candidat n'obtient cette majorité au cours de deux tours de scrutin, est élu celui qui obtient la majorité des voix au cours d'un troisième tour. — *(7)* Les modalités feront l'objet d'une loi fédérale.

ART. 55 **[Pas d'activité professionnelle secondaire]**. — *(1)* Le président de la République fédérale ne doit appartenir ni au gouvernement ni à un organe législatif de la Fédération ou d'un Land. — *(2)* Le président de la République fédérale ne doit exercer aucune autre fonction rémunérée, aucun métier et aucune profession, et il ne doit faire partie ni de la direction ni du conseil d'administration d'une entreprise poursuivant des buts lucratifs.

. . . .

ART. 57 **[Suppléance]**. — En cas d'empêchement du président de la République fédérale ou d'expiration prématurée de ses fonctions, ses pouvoirs sont exercés par le président du Bundesrat.

ART. 58 **[Contreseing]**. — Pour être valables, les ordonnances et décrets du président de la République fédérale doivent être contresignés par le chancelier fédéral ou par le ministre fédéral compétent. Ceci ne s'applique pas à la nomination et à la révocation du chancelier fédéral, à la dissolution du Bundestag prévue à l'art. 63 et à la demande prévue à l'al. 3 de l'art. 69.

ART. 59 **[Pouvoir de représentation internationale]**. — *(1)* Le président de la République fédérale représente la Fédération sur le plan international. Il conclut au nom de la Fédération les traités avec les Etats étrangers. Il accrédite et reçoit les envoyés diplomatiques. — *(2)* Les traités réglant les relations politiques de la Fédération ou ayant trait à des matières relevant de la législation fédérale requièrent l'approbation ou l'intervention, sous forme de loi fédérale, des organes respectifs compétents en matière de législation fédérale. Les dispositions régissant l'administration fédérale s'appliquent par analogie aux accords administratifs.

ART. 60 **[Nomination des fonctionnaires et officiers]**. — *(1)* Sauf disposition légale contraire, le président de la République fédérale nomme et révoque les juges et les fonctionnaires fédéraux ainsi que les officiers et sous-officiers. — *(2)* Il exerce au nom de la Fédération le droit de grâce dans les cas d'espèce. — *(3)* Il peut déléguer ces pouvoirs à d'autres autorités. — *(4)* Les al. 2 à 4 de l'art. 46 s'appliquent par analogie au président de la République fédérale.

ART. 61 **[Mise en accusation devant le tribunal constitutionnel fédéral]**. — *(1)* Le Bundestag ou le Bundesrat peut mettre le président de la République fédérale en accusation devant le Tribunal constitutionnel fédéral pour violation volontaire de la Loi fondamentale ou d'une autre loi fédérale. La demande de mise en accusation doit être présentée par un quart au moins des membres du

Bundestag ou un quart des voix du Bundesrat. La décision de mise en accusation doit être prise à la majorité des deux tiers des membres du Bundestag ou des deux tiers des voix du Bundesrat. L'accusation est soutenue par un représentant de l'Assemblée qui a voté la mise en accusation. — *(2)* Si le Tribunal constitutionnel fédéral constate que le président de la République fédérale s'est rendu coupable d'une violation volontaire de la Loi fondamentale ou d'une autre loi fédérale, elle peut le déclarer déchu de ses fonctions. Par mesure provisoire prise après la mise en accusation, elle peut déclarer que le président de la République fédérale est empêché d'exercer ses fonctions.

6. Le gouvernement fédéral

ART. 62 **[Composition]**. — Le gouvernement fédéral se compose du chancelier fédéral et des ministres fédéraux.

ART. 63 **[Election du chancelier ; dissolution du Bundestag]**. — *(1)* Le chancelier fédéral est élu sans discussion par le Bundestag sur proposition du président de la République fédérale. — *(2)* Est élu le candidat qui obtient la majorité des voix des membres du Bundestag. Le candidat élu doit être nommé par le président de la République fédérale. — *(3)* Si le candidat proposé n'est pas élu, le Bundestag peut élire le chancelier fédéral à la majorité absolue de ses membres dans les quatorze jours qui suivent le scrutin. — *(4)* Si l'élection ne peut se faire dans ce délai, il est procédé immédiatement à un nouveau tour de scrutin dans lequel est élu le candidat qui obtient le plus grand nombre de voix. Si ce candidat obtient la majorité des voix des membres du Bundestag, le président de la République fédérale doit le nommer dans les sept jours qui suivent l'élection. S'il ne réunit pas cette majorité, le président de la République fédérale est dans l'obligation de le nommer dans les sept jours ou de dissoudre le Bundestag.

ART. 64 **[Nomination des ministres fédéraux]**. — *(1)* Les ministres fédéraux sont nommés et révoqués par le président de la République fédérale sur proposition du chancelier fédéral (...).

ART. 65 **[Répartition de la responsabilité]**. — Le chancelier fédéral fixe les lignes directrices de la politique et en assume la responsabilité. Dans ces limites, chaque ministre fédéral dirige son département de façon autonome et sous sa propre responsabilité. Le gouvernement fédéral statue sur les divergences d'opinion entre les ministres fédéraux. Le chancelier fédéral dirige les affaires gouvernementales selon un règlement intérieur adopté par le gouvernement fédéral et approuvé par le président de la République fédérale.

ART. 65 *a* **[Pouvoir de commandement]**. — Le ministre fédéral de la défense exerce le pouvoir de commandement sur les forces armées.

ART. 66 **[Pas d'activité professionnelle secondaire]**. — Le chancelier fédéral et les ministres fédéraux ne doivent exercer aucune autre fonction rémunérée, aucun métier et aucune profession, et ils ne doivent faire partie ni de la direction ni, sans l'approbation du Bundestag, du conseil d'administration d'une entreprise poursuivant des buts lucratifs.

ART. 67 **[Censure]**. — *(1)* Le Bundestag ne peut exprimer sa défiance envers le chancelier fédéral qu'en élisant un successeur à la majorité absolue et en invitant le président de la République fédérale à le relever de ses fonctions. Le président de la République fédérale doit faire droit à cette demande et nommer la personnalité élue. — *(2)* Le vote sur la motion ne peut intervenir qu'à l'expiration d'un délai de quarante-huit heures.

ART. 68 **[Vote de confiance ; dissolution du Bundestag]**. — *(1)* Si une motion de confiance du chancelier fédéral n'est pas approuvée par le Bundestag à la majorité de ses membres, le président de la République fédérale peut, sur proposition du chancelier fédéral, dissoudre le Bundestag dans les vingt-et-un jours. Le droit de dissolution s'éteint dès que le Bundestag a élu un autre chancelier fédéral à la majorité de ses membres. — *(2)* Le vote sur la motion ne peut intervenir qu'à l'expiration d'un délai de quarante-huit heures.

ART. 69 **[Suppléant du chancelier]**. — *(1)* Le chancelier fédéral désigne un ministre fédéral comme son suppléant. — *(2)* Les fonctions du chancelier fédéral ou d'un ministre fédéral prennent toujours fin lors de la réunion d'un nouveau Bundestag; les fonctions d'un ministre fédéral prennent fin aussi chaque fois qu'expirent, pour d'autres raisons, celles du chancelier fédéral. — *(3)* Lorsque le président de la République fédérale le demande, le chancelier fédéral est tenu d'expédier les affaires jusqu'à désignation de son successeur; il en est de même des ministres fédéraux lorsque le chancelier fédéral ou le président de la République fédérale le demande.

7. La législation de la fédération

ART. 70 **[Législation de la Fédération et des Länder]**. — *(1)* Les Länder ont le droit de légiférer dans la mesure où les pouvoirs législatifs ne sont pas conférés à la Fédération par la présente Loi fondamentale. — *(2)* Les compétences de la Fédération et des Länder sont délimitées par les dispositions de la présente Loi fondamentale sur la législation exclusive et la législation concurrente.

ART. 71 **[Législation exclusive de la Fédération, notion]**. — Dans les matières relevant de la législation exclusive de la Fédération, les Länder n'ont le pouvoir de légiférer que si une loi fédérale les y autorise expressément et dans la mesure prévue par cette loi.

ART. 72 **[Législation concurrente de la Fédération, notion]**. — *(1)* Dans les matières relevant de la législation concurrente, les Länder ont le pouvoir de légiférer tant que et dans la mesure où la Fédération ne fait pas usage de son droit de légiférer. — *(2)* Dans ce domaine, la Fédération a le droit de légiférer dans la mesure où apparaît un besoin de réglementation législative fédérale : 1) parce qu'une question ne peut être réglementée efficacement par la législation des différents Länder, ou 2) parce que la réglementation d'une question par une loi de Land pourrait affecter des intérêts d'autres Länder ou de la collectivité, ou 3) parce que la protection de l'unité juridique ou économique et notamment le maintien de l'homogénéité des conditions de vie au-delà des frontières d'un Land l'exigent.

ART. 73 **[Législation exclusive, catalogue]**. — La Fédération a le droit de législation exclusive dans les matières ci-dessous : 1) affaires étrangères, ainsi que défense, y compris la protection de la population civile; 2) nationalité dans la Fédération; 3) liberté de mouvement, passeports, immigration, émigration, extradition; 4) change, crédit et monnaie, poids et mesures, comput; 5) unité du territoire douanier et commercial, traités de commerce et de navigation, liberté de circulation des marchandises, échanges de marchandises et mouvement des paiements avec l'étranger, y compris la protection douanière et la protection des frontières; 6) chemins de fer fédéraux et trafic aérien; 7) postes et télécommunications; 8) statut du personnel au service de la Fédération et des organismes de droit public qui dépendent directement de la Fédération; 9) protection de la propriété industrielle, des droits d'auteur et droits d'édition; 10) collaboration de la Fédération et des Länder, *a)* en matière de police criminelle, *b)* à la défense du régime libéral et démocratique, de l'existence et de la sécurité de la Fédération ou d'un Land (protection de la constitution) et *c)* à la protection contre des activités sur le territoire fédéral qui, par l'emploi de la force ou par des préparatifs dans ce sens, compromettent les intérêts extérieurs de la République fédérale d'Allemagne, création d'un Office fédéral de la police criminelle et répression internationale de la criminalité; 11) statistique destinée à des buts fédéraux.

ART. 74 **[Législation concurrente, catalogue]**. — La législation concurrente s'étend aux domaines ci-dessous : 1) droit civil, droit pénal et régime pénitentiaire, organisation judiciaire, procédure judiciaire, barreau, notariat et consultation juridique; 2) état civil; 3) droit d'association et de réunion; 4) droit de résidence et d'établissement des étrangers; 4 a) droit des armes et explosifs; 5) protection des biens culturels allemands contre l'émigration à l'étranger; 6) réfugiés et expulsés; 7) prévoyance sociale; 8) nationalité dans les Länder; 9) dommages de guerre et réparations; 10) assistance aux mutilés de guerre et aux survivants des victimes de la guerre ainsi qu'aux anciens prisonniers de guerre; 10 a) tombes militaires et tombes d'autres victimes de la guerre et victimes de la tyrannie; 11) droit économique (mines, industrie, énergie, artisanat, professions industrielles et commerciales, banques et bourse, assurances de droit privé); 11 a) production et utilisation de l'énergie nucléaire à des fins pacifiques, construction et exploitation d'installations à cet effet, protection contre les dangers occasionnés par la libération d'énergie nucléaire ou par des radiations ionisantes et élimination des substances radioactives; 12) droit du travail, y compris l'organisation sociale des entreprises, la protection du travail, le placement, assurances sociales, y compris l'assurance-chômage; 13) allocations d'études et d'apprentissage, encouragement à la recherche scientifique; 14) droit de l'expropriation en ce qui concerne les matières visées aux art. 73 et 74; 15) transfert du sol, des ressources naturelles et des moyens de production en propriété collective ou en d'autres formes d'économie collective; 16) prévention des abus de puissance économique; 17) développement de la production agricole et forestière, mesures destinées à assurer le ravitaillement, importation et exportation des produits agricoles et forestiers, pêche en haute mer et pêche côtière, protection des côtes; 18) mutation des biens fonciers, droit de la propriété foncière et régime des baux ruraux, logement, colonisation intérieure et propriété familiale; 19) mesures contre les épidémies et les épizooties dangereuses pour la collectivité, admission aux professions médicales et aux autres professions et activités dans le domaine de la thérapeutique, commerce des produits médicaux et pharmaceutiques, des stupéfiants et toxiques; 19 a) sécurité économique des hôpitaux et réglementation des tarifs d'hospitalisation; 20) protection du commerce des produits alimentaires et stimulants, des produits d'usage courant, des fourrages, des semences et des plants agricoles et forestiers, protection des arbres et des plantes contre les maladies et les parasites, ainsi que protection des animaux; 21) navigation au long cours, cabotage, signalisation maritime, navigation intérieure, service météorologique, routes maritimes et eaux intérieures servant au trafic public; 22) trafic routier, circulation automobile, construction et entretien des routes à grande distance, perception et répartition de péages pour l'utilisation de routes publiques par des automobiles; 23) chemins de fer autres que les chemins de fer fédéraux, à l'exception des chemins de fer de montagne; 24) enlèvement des ordures, lutte contre la pollution de l'air et contre le bruit.

Art. 74 *a*. — *(1)* La législation concurrente s'étend en outre au traitement et à la retraite des personnels de la fonction publique liés par un contrat de service et de fidélité de droit public, pour autant que la Fédération n'a pas le droit de législation exclusive en vertu de l'art. 73, n° 8. — *(2)* Les lois fédérales en vertu de l'al. 1er requièrent l'approbation du Bundesrat. — *(3)* L'approbation du Bundesrat est requise aussi pour les lois fédérales en vertu de l'art. 73, n° 8, dans la mesure où elles prévoient pour la hiérarchie ou le calcul du traitement et de la retraite, y compris l'évaluation des fonctions ou d'autres montants minima ou maxima, des barèmes différents de ceux des lois fédérales en vertu de l'al. 1er. — *(4)* Les al. 1 et 2 valent *mutatis mutandis* pour le traitement et la retraite des juges de Land. L'al. 3 s'applique *mutatis mutandis* aux lois en vertu de l'art. 98, al. 1er.

ART. 75 **[Règles générales de la Fédération, catalogue]**. — Sous réserve des conditions prévues à l'art. 72, la Fédération a le droit d'édicter des règles générales sur : 1) le statut des personnes au service de la fonction publique des Länder, communes et autres organismes de droit public, pour autant que l'art. 74 *a* ne stipule rien d'autre ; 1 a) les principes généraux de l'enseignement supérieur ; 2) le statut général de la presse et de l'industrie cinématographique ; 3) la chasse, la protection des sites naturels et des paysages ; 4) la répartition des terres, l'aménagement du territoire et le régime des eaux ; 5) les déclarations de séjour et l'identité.

ART. 76 **[Projets de lois]**. — *(1)* Les projets et propositions de lois sont présentés au Bundestag par le gouvernement fédéral, par des membres du Bundestag ou par le Bundesrat. — *(2)* Les projets du gouvernement fédéral doivent d'abord être soumis au Bundesrat. Celui-ci a le droit de se prononcer à leur sujet dans un délai de six semaines. Le gouvernement fédéral peut soumettre au Bundestag au bout de trois semaines un projet qu'il a qualifié exceptionnellement de particulièrement urgent en le transmettant au Bundesrat, même si la prise de position du Bundesrat ne lui est pas encore parvenue ; il doit transmettre celle-ci au Bundestag dès sa réception. — *(3)* Les projets de loi du Bundesrat sont transmis au Bundestag dans les trois mois par l'intermédiaire du gouvernement fédéral, qui doit exprimer son point de vue à leur sujet.

ART. 77 **[Procédures de vote des lois ; opposition du Bundesrat]**. — *(1)* Les lois fédérales sont adoptées par le Bundestag. Après leur adoption, le président du Bundestag doit les soumettre sans délai au Bundesrat. — *(2)* Dans les trois semaines qui suivent la réception du texte de loi adopté, le Bundesrat peut demander la convocation d'une commission formée de membres du Bundestag et du Bundesrat en vue de la discussion commune de projets. La composition et la procédure de cette commission sont fixées par un règlement intérieur, qui est adopté par le Bundestag et requiert l'approbation du Bundesrat. Les membres du Bundesrat délégués à cette commission ne sont pas liés par des instructions. Si l'approbation du Bundesrat est requise pour une loi, le Bundestag et le gouvernement fédéral peuvent, eux aussi, exiger la convocation de la commission. Si celle-ci propose une modification du texte de loi adopté, le Bundestag doit prendre une nouvelle décision. — *(3)* Si une loi ne requiert pas l'approbation du Bundesrat, et si la procédure prévue à l'al. 2 est terminée, le Bundesrat peut faire opposition dans le délai de deux semaines à une loi adoptée par le Bundestag. Le délai d'opposition commence à courir, dans le cas prévu à la dernière phrase de l'al. 2, dès la réception du texte de loi adopté de nouveau par le Bundestag et, dans tous les autres cas, dès la fin de la procédure devant la commission prévue à l'al. 2. — *(4)* Si l'opposition est décidée à la majorité des voix du Bundesrat, elle peut être rejetée par une décision prise à la majorité des membres du Bundestag. Si le Bundesrat a décidé l'opposition à la majorité des deux tiers au moins de ses voix, le rejet par le Bundestag doit être décidé à la majorité des deux tiers ou, au moins, à la majorité des membres du Bundestag.

ART. 78 **[Conditions d'adoption définitive des lois]**. — Une loi adoptée par le Bundestag devient définitive si le Bundesrat l'approuve, s'il ne fait pas la demande prévue à l'al. 2 de l'art. 77, s'il ne fait pas opposition dans le délai prévu à l'al. 3 de l'art. 77, s'il retire cette opposition ou si elle est rejetée par le Bundestag.

ART. 79 **[Modification de la Loi fondamentale]**. — *(1)* La Loi fondamentale ne peut être modifiée que par une loi qui amende ou complète expressément son texte. En ce qui concerne les traités internationaux ayant pour objet un règlement de paix, la préparation d'un règlement de paix ou l'abolition d'un régime d'occupation, ou qui sont destinés à servir la défense de la République fédérale, il suffira, pour préciser que les dispositions de la Loi fondamentale ne s'opposent pas à la conclusion et à la mise en vigueur des traités, d'ajouter au texte de la Loi fondamentale un supplément se bornant à apporter cette précision. — *(2)* Une telle loi doit recueillir l'approbation des deux tiers des membres du Bundestag et des deux tiers des voix du Bundesrat. — *(3)* Est inadmissible un amendement de la présente Loi fondamentale qui affecte la division de la Fédération en Länder, le principe de la participation des Länder à la législation ou les principes énoncés aux art. 1 et 20.

ART. 80 **[Décrets réglementaires]**. — *(1)* Le gouvernement fédéral, un ministre fédéral ou les gouvernements des Länder peuvent être autorisés par loi à prendre des décrets réglementaires. Cette loi doit préciser le contenu, le but et l'étendue de l'autorisation donnée (...). — *(2)* Sous réserve qu'une loi fédérale n'en dispose autrement, il faut l'approbation du Bundesrat pour les décrets réglementaires du gouvernement fédéral ou d'un ministre fédéral relatifs aux règles générales et aux tarifs d'utilisation des installations des chemins de fer fédéraux et des PTT, à la construction et à l'exploitation des chemins de fer, ainsi que pour les décrets réglementaires pris en vertu de lois fédérales soumises à l'approbation du Bundesrat ou dont les Länder assurent l'exécution par délégation de la Fédération ou au titre de leurs propres attributions.

ART. 80 *a* **[Cas de tension]**. — *(1)* Si la Loi fondamentale ou une loi fédérale sur la défense, y compris la protection de la population civile, stipule que des décrets réglementaires ne peuvent être pris que conformément à cet article, l'application en dehors de l'état de défense n'est licite que si le Bundestag a constaté qu'il y a un cas de tension ou s'il a approuvé tout spécialement l'application. La constatation du cas de tension et l'approbation spéciale dans les cas de l'art. 12 *a*, al. 5, phrase 1, et al. 6, phrase 2, requièrent une majorité de deux tiers des voix exprimées. — *(2)* Les mesures prises en vertu de décrets réglementaires conformément à l'al. 1 doivent être rapportées si le Bundestag l'exige. — *(3)* En dérogation à l'al. 1, l'application de tels décrets réglementaires est licite sur la base et en fonction d'une décision prise par un organisme international dans le cadre d'un traité d'alliance avec l'accord du gouvernement fédéral. Les mesures prises conformément à cet alinéa doivent être rapportées si le Bundestag l'exige à la majorité de ses membres.

ART. 81 **[Etat d'urgence législative].** — *(1)* Si, dans le cas prévu à l'art. 68, le Bundestag n'est pas dissous, le président de la République fédérale peut, sur demande du gouvernement fédéral et avec l'approbation du Bundesrat, déclarer l'état d'urgence législative à propos d'un projet de loi dont le Bundestag refuse l'adoption bien que le gouvernement fédéral l'ait déclaré urgent. Il en est de même lorsqu'un projet de loi a été rejeté bien que le chancelier fédéral y ait lié la demande prévue à l'art. 68. — *(2)* Si, après déclaration de l'état d'urgence législative, le Bundestag rejette de nouveau le projet de loi ou s'il l'accepte sous une forme déclarée inacceptable par le gouvernement fédéral, la loi est considérée comme adoptée si le Bundestag l'approuve. Il en est de même si le projet n'est pas voté par le Bundestag dans un délai de quatre semaines après que le projet a été déposé de nouveau. — *(3)* Pendant la durée des fonctions d'un chancelier fédéral, tout autre projet de loi rejeté par le Bundestag peut également être adopté selon les dispositions des al. 1 et 2 dans les six mois qui suivent la première déclaration de l'état d'urgence législative. Après expiration de ce délai, l'état d'urgence législative ne peut plus être déclaré pendant la durée des fonctions du même chancelier fédéral. — *(4)* La loi fondamentale ne peut être ni amendée ni abrogée en totalité ou en partie par une loi adoptée selon la procédure prévue à l'al. 2.

ART. 82 **[Promulgation et entrée en vigueur des lois].** — *(1)* Les lois adoptées conformément aux dispositions de la présente Loi fondamentale sont, après contreseing, signées par le président de la République fédérale et publiées (...).

8. L'exécution des lois fédérales et l'administration fédérale

ART. 83 **[Principe de l'exécutif régional].** — Sauf disposition contraire prévue ou admise par la présente Loi fondamentale, les Länder exécutent les lois fédérales au titre de leurs propres attributions.

ART. 84 **[Administration régionale et contrôle fédéral].** — *(1)* Si les Länder exécutent les lois fédérales au titre de leurs propres attributions, ils réglementent l'organisation des administrations et la procédure administrative à moins que des lois fédérales n'en disposent autrement avec l'approbation du Bundesrat. — *(2)* Le gouvernement fédéral peut, avec l'approbation du Bundesrat, édicter des règles administratives générales. — *(3)* Le gouvernement fédéral veille à ce que les Länder exécutent les lois fédérales conformément au droit en vigueur. A cet effet, il peut envoyer des délégués auprès des autorités supérieures des Länder; avec l'accord de celles-ci et, en cas de refus, avec l'approbation du Bundesrat, il peut en envoyer aussi auprès des autorités subalternes. — *(4)* Si des défauts relevés par le gouvernement fédéral dans l'exécution des lois fédérales dans les Länder ne sont pas corrigés, le Bundesrat constate, sur demande du gouvernement fédéral ou du Land, si ce dernier a violé le droit. Contre la décision du Bundesrat, le recours au Tribunal constitutionnel fédéral est ouvert. — *(5)* Une loi fédérale, soumise à l'approbation du Bundesrat, peut conférer au gouvernement fédéral, en vue d'assurer l'exécution des lois fédérales, le pouvoir de donner des instructions spéciales pour des cas particuliers. Sauf si le gouvernement fédéral juge qu'il y a urgence, elles doivent être adressées aux autorités supérieures des Länder.

ART. 85 **[Lois exécutées par délégation de la Fédération]**. — *(1)* Si les Länder exécutent les lois fédérales par délégation de la Fédération, l'organisation des administrations reste de la compétence des Länder dans la mesure où des lois fédérales n'en disposent pas autrement avec l'approbation du Bundesrat. — *(2)* Le gouvernement fédéral peut édicter, avec l'approbation du Bundesrat, des règles administratives générales. Il peut harmoniser la formation des fonctionnaires et employés. Les directeurs des administrations intermédiaires sont nommés avec son accord. — *(3)* Les administrations des Länder sont soumises aux instructions des administrations fédérales supérieures. Sauf si le gouvernement fédéral juge qu'il y a urgence, les instructions doivent être adressées aux autorités supérieures des Länder. Celles-ci doivent assurer l'exécution de l'instruction. — *(4)* Le contrôle exercé par la Fédération porte sur la légalité de l'exécution et sur l'utilité des mesures prises à cette fin. A cet effet, le gouvernement fédéral peut exiger des rapports et la communication des dossiers, il peut aussi envoyer des délégués auprès de toutes les administrations.

ART. 86 **[Administration propre à la Fédération]**. — Si la Fédération exécute les lois par l'intermédiaire d'une administration fédérale ou d'organismes ou établissements de droit public qui dépendent directement d'elle, le gouvernement fédéral édicte, sauf disposition législative spéciale, les règles administratives générales. Il règle, sauf disposition contraire de la loi, l'organisation des administrations.

ART. 87 **[Objets de l'administration propre à la Fédération]**. — *(1)* Sont administrés par la Fédération et dotés d'une infrastructure administrative propre les affaires étrangères, l'administration fédérale des finances, les chemins de fer fédéraux, les postes fédérales et, aux termes de l'article 89, l'administration des voies fluviales fédérales et la navigation. Par loi fédérale peuvent être institués des services fédéraux de protection des frontières, des centrales de renseignements généraux, de police criminelle et de documentation aux fins de protection de la constitution et de protection contre des activités sur le territoire fédéral qui, par l'emploi de la force ou par des préparatifs dans ce sens, compromettent les intérêts extérieurs de la République fédérale d'Allemagne. — *(2)* Sont gérées comme organismes de droit public dépendant directement de la Fédération les institutions des assurances sociales dont la compétence territoriale dépasse le territoire d'un Land. — *(3)* En outre, pour des matières relevant de la compétence législative de la Fédération, des organismes supérieurs fédéraux indépendants ainsi que des organismes et établissements de droit public nouveaux dépendant directement de la Fédération peuvent être créés par loi fédérale. Si de nouvelles tâches incombent à la Fédération dans des domaines où elle a la compétence législative, des administrations fédérales moyennes et subalternes peuvent être créées en cas de besoin urgent avec l'approbation du Bundesrat et de la majorité des membres du Bundestag.

ART. 87 *a* **[Mise sur pied, effectifs, utilisation et missions des forces armées]**. — *(1)* La Fédération met sur pied des forces armées pour la défense. Leurs effectifs et les éléments de leur organisation doivent être fonction du budget. — *(2)* Hormis le cas de défense, les forces armées ne doivent être engagées que dans la mesure où la Loi fondamentale l'autorise expressément. — *(3)* En cas de défense et en cas de tension, les forces armées ont le pouvoir de protéger des objets civils et d'assumer des tâches de réglementation du trafic, dans la mesure où c'est nécessaire pour l'accomplissement de leur mission de défense. En outre, dans le cas de défense et dans le cas de tension, les forces armées peuvent aussi se voir confier la protection d'objets civils pour renforcer des mesures policières : elles collaborent dans ce cas avec les autorités compétentes. — *(4)* Pour parer un danger imminent qui menace l'existence même ou les libertés démocratiques de la Fédération ou d'un Land, le gouvernement fédéral peut, si les conditions de l'art. 91, al. 2, sont réunies, et si les forces de police, ainsi que les gardes-frontières ne suffisent pas, détacher des forces armées en renfort de la police et du corps de gardes-frontières pour la protection d'objets civils et la lutte contre des insurgés organisés et armés militairement. L'engagement des forces armées doit être arrêté si le Bundestag ou le Bundesrat l'exigent.

ART. 87 *b* **[Administration de l'armée fédérale]**. — *(1)* L'armée fédérale est administrée par la Fédération et dotée d'une infrastructure administrative propre (...). — *(2)* (...) les lois fédérales concernant la défense, y compris le recrutement des forces armées et la protection de la population civile, peuvent disposer avec l'approbation du Bundesrat qu'elles seront exécutées en totalité ou en partie soit par l'administration fédérale dotée d'une infrastructure administrative propre, soit par les Länder par délégation de la Fédération (...).

ART. 87 *c* **[Production et utilisation d'énergie nucléaire]**. — Les lois promulguées en vertu de l'art. 74 n° 11 a peuvent stipuler avec l'accord du Bundesrat qu'elles seront appliquées par les Länder pour le compte de la Fédération.

ART. 87 *d* **[Administration du trafic aérien]**. — *(1)* L'administration du trafic aérien relève de l'administration propre de la Fédération. — *(2)* Par loi fédérale requérant l'accord du Bundesrat, des dépenses au titre de l'administration du trafic aérien peuvent être transférées aux Länder en tant qu'administration déléguée.

ART. 88 **[Banque fédérale]**. — La Fédération crée une banque d'émission en tant que banque fédérale.

ART. 89 **[Voies fluviales fédérales]**. — *(1)* La Fédération est propriétaire des anciennes voies fluviales du Reich. — *(2)* La Fédération administre les voies fluviales fédérales par ses propres services. Elle assume, en matière de navigation intérieure, les tâches gouvernementales qui dépassent le cadre d'un Land et, en matière de navigation maritime, les tâches qui lui sont confiées par la loi. Sur demande d'un Land, elle peut confier à celui-ci, à titre d'administration déléguée, l'administration de voies fluviales fédérales situées sur le territoire de ce Land. Si une voie fluviale traverse le territoire de plusieurs Länder, la Fédération peut en confier l'administration à celui des Länder qui est proposé par les autres (...).

ART. 90 **[Routes fédérales]**. — *(1)* La Fédération est propriétaire des anciennes autoroutes et routes nationales du Reich. — *(2)* Les Länder ou les organismes dotés d'autonomie administrative conformément au droit de Land administrent les autoroutes fédérales et autres routes fédérales de grande communication par délégation de la Fédération. — *(3)* Sur demande d'un Land, la Fédération peut prendre sous sa propre administration les autoroutes fédérales et autres routes fédérales de grande communication situées sur le territoire de ce Land.

ART. 91 **[Défense contre les dangers menaçant l'existence de la Fédération ou d'un Land]**. — *(1)* Pour écarter un danger menaçant l'existence ou le régime libre et démocratique de la Fédération ou d'un Land, un Land peut demander l'assistance des forces de police d'autres Länder ou des forces (2) et équipements d'autres administrations et du corps fédéral de gardes-frontières. — *(2)* Si le Land dans lequel la menace existe n'est pas prêt lui-même à combattre le danger ou s'il n'est pas en mesure de le faire, le gouvernement fédéral peut soumettre à ses instructions la police de ce Land et les forces de police d'autres Länder. Cette mesure doit être levée dès que le danger a pris fin et, en outre, chaque fois que le Bundesrat le demande. Si le péril s'étend au-delà des limites d'un Land, le gouvernement fédéral peut donner des instructions aux gouvernements des Länder dans la mesure où c'est nécessaire pour une lutte efficace; l'al. 1 et l'al. 2 ne sont pas affectés.

(2) Par ex. corps de protection civile, corps du génie civil d'urgence, corps de sapeurs-pompiers, etc.

8 *a*. Tâches communes

ART. 91 *a* **[Précisions concernant les tâches communes]**. — *(1)* La Fédération concourt dans les secteurs suivants à l'exécution des tâches des Länder, si ces tâches sont importantes pour la collectivité et si la coopération de la Fédération est requise pour l'amélioration des conditions de vie (tâches communes) : 1) Agrandissement et construction d'universités et de grandes écoles, y compris les cliniques universitaires, 2) Amélioration de la structure économique régionale, 3) Amélioration de la structure agraire et de la protection côtière. — *(2)* Les tâches communes seront précisées par loi fédérale avec l'accord du Bundesrat. La loi doit contenir des principes généraux pour leur exécution. — *(3)* La loi prend des dispositions relatives à la procédure et à des institutions en vue d'un plan-cadre commun. L'inscription d'un projet dans le plan-cadre requiert l'accord du Land sur le territoire duquel il sera exécuté. — *(4)* Dans les cas prévus à l'al. 1er nos 1 et 2, la Fédération assume la moitié des dépenses dans chaque Land. Dans les cas prévus à l'al. 1er no 3, la Fédération assume au moins la moitié; il faut que la participation soit uniforme pour tous les Länder. Les modalités seront réglées par la loi. L'attribution des fonds demeure fonction des prévisions budgétaires. — *(5)* Le gouvernement fédéral et le Bundesrat doivent sur demande être tenus au courant de l'exécution des tâches communes.

ART. 91 *b* **[Coopération de la Fédération et des Länder à la planification de l'enseignement et à la recherche]**. — La Fédération et les Länder peuvent sur la base de conventions passées entre eux coopérer à la planification de l'enseignement et à la promotion d'institutions et de projets de recherche scientifique d'importance suprarégionale. La répartition des coûts est réglée dans la convention.

9. Le pouvoir judiciaire

ART. 92 **[Organisation judiciaire]**. — Le pouvoir judiciaire est confié aux juges; il est exercé par le Tribunal constitutionnel fédéral, par les tribunaux fédéraux prévus par la présente Loi fondamentale et par les tribunaux des Länder.

ART. 93 **[Tribunal constitutionnel fédéral, compétence]**. — *(1)* Le Tribunal constitutionnel fédéral statue : 1) sur l'interprétation de la présente Loi fondamentale en cas de litiges portant sur l'étendue des droits et obligations d'un organe fédéral ou d'autres intéressés dotés de droits propres par la présente Loi fondamentale ou par le règlement intérieur d'un organe fédéral suprême; 2) en cas de divergences d'opinions ou de doutes sur la compatibilité formelle et matérielle du droit fédéral ou du droit de Land avec la présente Loi fondamentale ou sur la compatibilité du droit de Land avec tout autre droit fédéral, sur demande du gouvernement fédéral, d'un gouvernement de Land ou d'un tiers des membres du Bundestag; 3) en cas de divergences d'opinions sur les droits et obligations de la Fédération et des Länder, notamment en ce qui concerne l'exécution du droit fédéral par les Länder et l'application du contrôle fédéral; 4) dans les autres litiges de droit public entre la Fédération et les Länder, entre différents Länder ou à l'intérieur d'un Land, à moins qu'il ne soit ouvert de recours à une autre juridiction; 4 a) sur des recours constitutionnels qui peuvent être introduits par quiconque estime avoir été lésé par les pouvoirs publics dans un de ses droits fondamentaux ou dans un de ses droits garantis par les art. 20, al. 4, 33, 38, 101, 103 et 104; 4 b) sur des recours constitutionnels introduits par des communes et des associations communales pour violation du droit d'autogestion en vertu de l'art. 28 par une loi; s'il s'agit de lois régionales, le Tribunal constitutionnel fédéral ne peut statuer que dans la mesure où un recours ne peut être introduit devant le tribunal constitutionnel du Land; 5) dans les autres cas prévus par la présente Loi fondamentale. — *(2)* Le Tribunal constitutionnel fédéral exerce en outre sa juridiction dans les autres cas où les lois fédérales lui attribuent compétence.

ART. 94 **[Tribunal constitutionnel fédéral, composition]**. — *(1)* Le Tribunal constitutionnel fédéral se compose de juges fédéraux et d'autres membres. La moitié des membres du Tribunal constitutionnel fédéral est élue par le Bundestag, l'autre moitié par le Bundesrat. Ils ne doivent faire partie ni du Bundestag, ni du Bundesrat, ni du gouvernement fédéral, ni d'organes correspondants d'un Land. — *(2)* Une loi fédérale règle son organisation et sa procédure et fixe les cas dans lesquels ses décisions ont force de loi. Elle peut stipuler que l'intéressé épuise la voie judiciaire avant d'introduire le recours constitutionnel et prévoir une procédure spéciale de recevabilité (3).

ART. 95 **[Cours suprêmes de la Fédération; Sénat commun]**. — *(1)* Pour les domaines de la juridiction ordinaire, administrative, financière, prud'homale et sociale, la Fédération crée à titre de cours suprêmes la Cour de cassation, le Tribunal administratif fédéral, la Cour fédérale suprême en matière fiscale, le Tribunal fédéral du travail et la Cour fédérale d'arbitrage social. — *(2)* La nomination des juges de ces tribunaux est décidée par le ministre fédéral compétent conjointement avec une commission de désignation des magistrats, qui se compose des ministres compétents des Länder et d'un nombre égal de membres élus par le Bundestag. — *(3)* En vue de préserver l'unité de la jurisprudence, il sera créé un Sénat commun des cours citées à l'al. 1er. Les modalités seront réglées par une loi fédérale.

. . . .

ART. 97 **[Indépendance des juges]**. — *(1)* Les juges sont indépendants et ne sont soumis qu'à la loi. — *(2)* Les juges nommés à

(3) Voir *infra*, extraits de la loi du 12 mars 1951.

titre définitif dans le cadre régulier ne peuvent, avant l'expiration de leurs fonctions et contre leur gré, être révoqués, relevés de leurs fonctions définitivement ou temporairement, affectés à un autre poste ou mis à la retraite qu'en vertu d'une décision judiciaire et pour les seuls motifs et dans la seule forme prévus par la loi. La législation peut fixer des limites d'âge auxquelles les juges nommés à vie sont admis à faire valoir leurs droits à la retraite (...).

ART. 98 **[Statut des juges]**. — *(1)* Le statut des juges fédéraux sera réglé par une loi fédérale spéciale. — *(2)* Si un juge fédéral, dans l'exercice de ses fonctions ou hors de celles-ci, contrevient aux principes de la Loi fondamentale ou à l'ordre constitutionnel d'un Land, le Tribunal constitutionnel fédéral peut ordonner à la majorité des deux tiers, sur demande du Bundestag, l'affectation du juge à d'autres fonctions ou sa mise à la retraite. En cas de contravention volontaire, il peut prononcer la révocation. — *(3)* Le statut des juges dans les Länder sera réglé par des lois spéciales de Land. La Fédération peut édicter des règles générales pour autant que l'art. 74 *a*, al. 4, ne stipule rien d'autre. — *(4)* Les Länder peuvent disposer que le ministre de la Justice d'un Land décide, d'un commun accord avec une commission chargée du choix des juges, de la nomination des juges dans les Länder. — *(5)* Les Länder peuvent fixer pour les juges de Land un règlement correspondant à celui prévu à l'al. 2. Ce règlement n'affecte pas le droit constitutionnel de Land en vigueur. Il appartient au Tribunal constitutionnel fédéral de statuer sur les prises à partie.

ART. 99 **[Transfert des compétences régionales au Tribunal constitutionnel fédéral et à des cours suprêmes fédérales]**. — Une loi de Land peut confier au Tribunal constitutionnel fédéral le soin de statuer sur des litiges constitutionnels à l'intérieur d'un Land et aux cours suprêmes citées à l'art. 95, al. 1er, la décision en dernière instance en des matières où l'application du droit de Land est en cause.

ART. 100 **[Contrôle des normes]**. — *(1)* Si un tribunal estime qu'une loi de la validité de laquelle dépend sa décision est anticonstitutionnelle, il doit suspendre la procédure et soumettre la question à la décision du tribunal compétent pour les litiges constitutionnels du Land s'il s'agit de la violation de la Constitution d'un Land et, s'il s'agit de la violation de la présente Loi fondamentale, à la décision du Tribunal constitutionnel fédéral. Il en est de même s'il s'agit de la violation de la présente Loi fondamentale par la législation d'un Land ou de l'incompatibilité d'une loi de Land avec une loi fédérale. — *(2)* Si, au cours d'un litige, il existe des doutes sur le point de savoir si une règle du droit international public forme partie intégrante du droit fédéral et si elle crée directement des droits et des obligations pour les individus (art. 25), le tribunal doit soumettre la question à la décision du Tribunal constitutionnel fédéral. — *(3)* Si le Tribunal constitutionnel d'un Land, lors de l'interprétation de la Loi fondamentale, veut déroger à un arrêt du Tribunal constitutionnel fédéral ou du Tribunal constitutionnel d'un autre Land, il doit soumettre la question à la décision du Tribunal constitutionnel fédéral.

ART. 101 **[Interdiction de tribunaux d'exception]**. — *(1)* Les tribunaux d'exception sont interdits. Nul ne doit être soustrait à son juge légal. — *(2)* Des tribunaux pour des matières spéciales ne peuvent être créés que par loi.

ART. 102 **[Abolition de la peine de mort]**. — La peine de mort est abolie.

ART. 103 **[Droits fondamentaux devant le tribunal]**. — *(1)* Chacun a le droit d'être entendu devant les tribunaux selon la procédure légale. — *(2)* Un acte n'est passible d'une peine que si l'infraction a été définie par une loi avant que l'acte ait été commis. — *(3)* Nul ne peut être condamné plusieurs fois pour le même acte en vertu du droit pénal commun.

ART. 104 **[Garanties juridiques en cas de détention]**. — *(1)* La liberté de l'individu ne peut être restreinte qu'en vertu d'une loi formelle et en observant les formes qui y sont prescrites. Les personnes arrêtées ne doivent être maltraitées ni moralement ni physiquement. — *(2)* Seul le juge statue sur l'admissibilité et la prolongation d'une privation de liberté. Pour toute privation de liberté non ordonnée par le juge, une décision judiciaire doit être immédiatement provoquée. La police ne peut, de sa propre autorité, détenir quelqu'un après la fin du jour qui suit son arrestation. Les modalités seront réglées par loi. — *(3)* Toute personne soupçonnée d'avoir commis une infraction et provisoirement détenue pour cette raison doit être conduite, au plus tard le lendemain de son arrestation, devant le juge qui doit lui notifier les motifs de son arrestation, l'interroger et lui donner la possibilité de formuler des objections. Le juge doit immédiatement décerner un mandat d'arrêt motivé ou ordonner la mise en liberté. — *(4)* Un parent du détenu ou une personne jouissant de sa confiance doit être avisé immédiatement de toute décision judiciaire ordonnant l'arrestation ou prolongeant la privation de liberté.

10. Les finances

ART. 104 *a* **[Répartition des dépenses ; aide financière]**. — *(1)* La Fédération et les Länder assument séparément les dépenses qu'entraînent leurs charges, sauf disposition contraire de la Loi fondamentale. — *(2)* Si les Länder agissent pour le compte de la Fédération, celle-ci assume les dépenses qui en découlent. — *(3)* Les lois fédérales qui octroient des prestations en espèces et sont appliquées par les Länder peuvent stipuler que les prestations en espèces seront en totalité ou en partie à la charge de la Fédération. Si la loi stipule que la Fédération assume la moitié ou plus des dépenses, elle est exécutée pour le compte de la Fédération. Si la loi stipule que les Länder prennent en charge un quart des dépenses ou davantage, l'accord du Bundesrat est requis. — *(4)* La Fédération peut accorder aux Länder une aide financière pour des investissements particulièrement importants des Länder et des communes (associations intercommunales) en vue d'éviter une rupture d'équilibre de l'ensemble économique, pour compenser des différences de potentiel économique sur le territoire fédéral ou pour promouvoir l'expansion économique. Les modalités, en particulier la nature des investissements à encourager, seront réglées par loi fédérale requérant l'accord du Bundesrat ou en vertu de la loi de finances par accord administratif. — *(5)* La Fédération et les Länder supportent les dépenses administratives de leurs services et répondent mutuellement d'une gestion régulière. Les modalités sont fixées par une loi fédérale qui requiert l'accord du Bundesrat.

ART. 105 **[Douanes, monopoles, impôts]**. — *(1)* La Fédération a le droit de législation exclusive en matière de douanes et de monopoles fiscaux. — *(2)* La Fédération a le droit de législation concurrente sur les autres impôts si le produit de ces impôts lui revient ou si les conditions de l'art. 72, al. 2, sont réunies. — *(2 a)* Les Länder ont le pouvoir de légiférer en matière d'impôts sur les biens de consommation et d'impôts sur les signes extérieurs de richesse tant que et dans la mesure où ils ne sont pas similaires aux impôts régis par des lois fédérales. — *(3)* Les lois fédérales en matière d'impôts dont le produit revient totalement ou en partie aux pays ou aux communes (associations intercommunales) requièrent l'approbation du Bundesrat.

ART. 106 **[Ventilation du produit de l'impôt]**. — *(1)* La Fédération a droit au produit des monopoles et des impôts suivants : 1) droits de douane; 2) impôts sur la consommation, dans la mesure où ils ne reviennent pas aux Länder en vertu de l'al. 2, conjointement à la Fédération et aux Länder en vertu de l'al. 3 ou aux communes en vertu de l'al. 6; 3) impôts sur le trafic routier de marchandises; 4) impôts sur les mutations de capitaux, impôts sur les conventions d'assurances, taxe sur les lettres de change; 5) impôts exceptionnels sur le capital et prélèvements au titre de la peréquation des charges; 6) impôt complémentaire à l'impôt sur le revenu et à l'impôt sur les sociétés; 7) droits perçus dans le cadre des Communautés européennes. — *(2)* Les Länder ont droit au produit des impôts suivants : 1) impôt sur le capital; 2) impôt sur les successions; 3) taxe de circulation sur les véhicules automobiles; 4) impôt sur les mutations et transactions, pour autant qu'il ne revient pas à la Fédération en vertu de l'al. 1 ou conjointement à la Fédération et aux Länder en vertu de l'al. 3; 5) impôt sur la bière; 6) impôt sur les maisons de jeu. — *(3)* Le produit de l'impôt sur le revenu, de l'impôt sur les sociétés et de l'impôt sur le chiffre d'affaires revient conjointement à la Fédération et aux Länder (impôt communautaire), pour autant que le produit de l'impôt sur le revenu n'est pas affecté aux communes en vertu de l'al. 5. La Fédération et les Länder participent pour moitié au produit de l'impôt sur le revenu et de l'impôt sur les sociétés. Les parts respectives de la Fédération et des Länder à l'impôt sur le chiffre d'affaires sont fixées par une loi fédérale, qui requiert l'accord du Bundesrat (...). — *(5)* Les communes reçoivent une partie des recettes de l'impôt sur le revenu, que les Länder doivent transférer à leurs communes au prorata des prestations d'impôts de leurs habitants (...). — *(6)* Les communes ont droit au produit des impôts réels, le produit des impôts locaux sur la consommation et les signes extérieurs de richesse revient aux communes ou aux associations intercommunales en fonction de la législation régionale (...). — *(7)* Un certain pourcentage de la part des Länder au produit total des impôts communautaires va aux communes et aux associations intercommunales; il est fixé par la législation régionale. C'est elle d'ailleurs qui décide si et dans quelle mesure le produit des impôts régionaux va aux communes (associations intercommunales) (...).

ART. 107 **[Péréquation financière]**. — *(1)* Le produit des impôts régionaux et la part des Länder au produit de l'impôt sur le revenu et de l'impôt sur les bénéfices des sociétés reviennent aux Länder dans la mesure où les impôts sont perçus par le fisc sur leur territoire (produit fiscal local). En ce qui concerne l'impôt sur le bénéfice des sociétés et l'impôt sur les salaires, une loi fédérale, qui requiert l'approbation du Bundesrat, arrêtera les dispositions relatives à la délimitation, au mode et à l'ampleur de la répartition du produit fiscal local. La loi peut définir aussi les modalités de la délimitation et de la répartition du produit local d'autres impôts. La part des Länder au produit de l'impôt sur le chiffre d'affaires leur revient au prorata de leur nombre d'habitants; une loi fédérale, qui requiert l'approbation du Bundesrat, peut prévoir qu'une fraction (un quart au maximum) de cette quote-part des Länder sera prélevée à titre de part complémentaire pour les Länder dont les recettes fiscales par tête d'habitant au titre des impôts régionaux, des impôts sur le revenu et des impôts sur le bénéfice des sociétés sont inférieures à la moyenne des Länder. — *(2)* Par une loi fédérale il faut veiller à ce qu'il y ait une péréquation financière convenable entre Länder à forte productivité et Länder à faible productivité, compte tenu de la capacité et des besoins financiers des communes (associations intercommunales). Cette loi doit préciser les conditions régissant les droits à compensation et les devoirs de compensation des Länder bien ou mal nantis, ainsi que les critères pour le calcul du montant des prestations. La loi peut également stipuler que la Fédération prélevant sur ses propres ressources accordera aux Länder à faible productivité des subventions destinées à couvrir à titre complémentaire leurs besoins financiers généraux (subventions complémentaires).

ART. 108 **[Administration financière]**. — *(1)* Les droits de douane, les monopoles fiscaux, les impôts sur la consommation régis par loi fédérale, y compris la taxe sur le chiffre des importations et les droits payés dans le cadre des Communautés européennes, sont gérés par l'administration fédérale des finances. La structure de ces services sera fixée par loi fédérale. Les directeurs de l'administration intermédiaire seront nommés en accord avec les gouvernements des Länder. — *(2)* Les autres impôts sont gérés par l'administration financière des Länder. La structure de ces services et la formation uniforme des fonctionnaires peuvent être réglées par loi fédérale avec l'accord du Bundesrat. Les directeurs de l'administration intermédiaire seront nommés en accord avec les gouvernements des Länder (...).

ART. 109 **[Budgets distincts dans la Fédération et les Länder]**. — *(1)* Sur le plan budgétaire, la Fédération et les Länder sont autonomes et indépendants l'un de l'autre. — *(2)* Le régime budgétaire de la Fédération et des Länder doit tenir compte des exigences d'équilibre de l'ensemble économique. — *(3)* Par loi fédérale requérant l'accord du Bundesrat, la Fédération et les Länder peuvent établir des principes communs de droit budgétaire, de régime budgétaire adapté à la situation économique et de planification financière portant sur plusieurs années. — *(4)* En vue d'éviter une rupture d'équilibre de l'ensemble économique, une loi fédérale requérant l'approbation du Bundesrat peut prescrire : 1) des plafonds, des conditions et périodes d'ouverture de crédits par des collectivités territoriales et associations à but déterminé et 2) l'obligation pour la Fédération et les Länder de déposer à la *Deutsche Bundesbank* des avoirs non productifs d'intérêts (réserves pour l'équilibre de la conjoncture). Seul le gouvernement fédéral peut être autorisé à promulguer des ordonnances. Celles-ci requièrent l'approbation du Bundesrat. Elles doivent être rapportées dans la mesure où le Bundestag l'exige; les modalités sont prévues par loi fédérale.

ART. 110 **[Etat prévisionnel de la Fédération]**. — *(1)* Toutes les recettes et dépenses de la Fédération doivent être inscrites au budget (...). Les recettes et les dépenses doivent s'équilibrer. — *(2)* L'état prévisionnel est arrêté pour un ou plusieurs exercices, par années, avant le début du premier exercice, par la loi de finances (...). — *(3)* Les projets de loi en vertu de l'al. 2, phrase 1, ainsi que les projets d'amendement de la loi de finances et de l'état prévisionnel sont soumis au Bundestag en même temps que leur acheminement au Bundesrat : celui-ci a le droit de prendre position dans un délai de six semaines, et dans le cas des projets d'amendement en l'espace de trois semaines (...).

ART. 111 **[Dépenses avant l'adoption du budget]**. — *(1)* Si, à la fin d'un exercice financier, le budget de l'année suivante n'a pas été arrêté par une loi, le gouvernement fédéral est autorisé, jusqu'à l'entrée en vigueur de cette loi, à engager toutes les dépenses nécessaires *a)* pour conserver des institutions créées par la loi et pour exécuter des mesures décidées sur une base législative; *b)* pour exécuter les obligations fédérales légalement fondées; *c)* pour poursuivre les constructions, approvisionnements et autres prestations, ou pour continuer à accorder des subventions à ces fins, si des crédits ont déjà été consentis dans le budget d'une année antérieure. — *(2)* Dans la mesure où des recettes fondées sur une loi spéciale et provenant d'impôts, de taxes et d'autres ressources ou les réserves financières pour les fonds de roulement ne couvrent pas les dépenses visées à l'al. 1er, le gouvernement fédéral peut se procurer par voie d'emprunt les fonds nécessaires au maintien de la gestion, jusqu'à concurrence du quart du montant total du budget précédent.

. . . .

10 *a.* Etat de défense

ART. 115 *a* **[Constatation de l'état de défense]**. — *(1)* La constatation que le territoire fédéral fait l'objet d'une attaque armée ou qu'une telle attaque est imminente (état de défense) est faite par le Bundestag avec l'accord du Bundesrat. La constatation a lieu à la demande du gouvernement fédéral et requiert une majorité des deux tiers des voix exprimées, et au moins la majorité des membres du Bundestag. — *(2)* Si la situation exige impérieusement une action immédiate et si la réunion en temps utile du Bundestag se heurte à des obstacles insurmontables, ou s'il ne réunit pas le quorum, cette constatation est faite par la Commission commune (4) à la majorité des deux tiers des voix exprimées et à au moins la majorité de ses membres. — *(3)* En vertu de l'art. 82, la constatation est promulguée par le président fédéral au *Journal officiel.* Si ce n'est pas possible faute de temps, la publication au *Journal officiel* devra se faire après coup dès que les circonstances le permettront. — *(4)* Si le territoire fédéral fait l'objet d'une attaque militaire et si les organes fédéraux compétents sont hors d'état de le constater immédiatement en vertu de l'al. 1er, phrase 1, cette constatation est censée avoir été faite et proclamée au moment où cette attaque a commencé. Le président fédéral fait connaître ce moment dès que les circonstances le permettent. — *(5)* Une fois que la constatation de l'état de défense a été proclamée, si le territoire fédéral est attaqué *manu militari*, le président fédéral peut avec l'accord du Bundestag faire des déclarations de droit international sur l'existence de l'état de défense. Dans les circonstances prévues à l'al. 2, la Commission commune se réunit à la place du Bundestag.

ART. 115 *b* **[Pouvoir de commandement pendant l'état de défense]**. — Dès la proclamation de l'état de défense, le pouvoir de commandement sur les forces armées est transféré au chancelier fédéral.

ART. 115 *c* **[Compétence législative de la Fédération pendant l'état de défense]**. — *(1)* Pendant l'état de défense, la Fédération a le droit de législation concurrente même dans les domaines qui relèvent

(4) Selon l'art. 53 *a*, ici supprimé, la *Commission commune*, composée pour deux tiers de députés du *Bundestag* et pour un tiers de membres du *Bundesrat* est, en temps ordinaire, informée des plans de défense.

de la compétence des Länder. Ces lois requièrent l'accord du Bundesrat. — *(2)* Dans la mesure où l'exigent les circonstances pendant l'état de défense, il est possible par loi fédérale : 1) de régler provisoirement l'indemnisation d'expropriations en dérogation à l'art. 14, al. 3, phrase 2; 2) de prolonger des détentions au-delà de la limite prévue à l'art. 104, al. 2, phrase 3, et al. 3, phrase 1, sans dépasser cependant un délai de quatre jours, au cas où un juge n'aurait pu intervenir dans les délais prévus pour les temps normaux. — *(3)* Dans la mesure où l'exige la défense contre une attaque actuelle ou imminente, une loi fédérale approuvée par le Bundesrat peut pendant l'état de défense régler l'administration et les finances de la Fédération et des Länder en dérogation aux chapitres VIII, VIII *a* et X, tout en préservant la viabilité des Länder, communes et associations intercommunales, notamment au point de vue financier. — *(4)* Les lois fédérales votées en vertu des al. 1 et 2, n° 1, peuvent être appliquées dès avant la proclamation de l'état de défense, afin de préparer leur mise à exécution.

ART. 115 *d* **[Procédure accélérée pour les projets de loi urgents pendant l'état de défense]**. — *(1)* Pendant l'état de défense, la législation de la Fédération suit en dérogation aux art. 76, al. 2, 77, al. 1er, phrase 2, et al. 2 à 4, art. 78 et art. 82, al. 1er, la procédure définie aux al. 2 et 3. — *(2)* Les projets de loi du gouvernement fédéral qualifiés d'urgents sont à transmettre au Bundesrat en même temps qu'ils sont déposés sur le bureau du Bundestag. Le Bundestag et le Bundesrat examinent ces projets de loi sur-le-champ ensemble. Dans la mesure où l'accord du Bundesrat est requis pour une loi, le projet a besoin de la majorité de ses voix pour passer. Les modalités sont prévues par un règlement intérieur, qui est voté par le Bundestag et requiert l'approbation du Bundesrat. — *(3)* La promulgation des lois se fera conformément à l'art. 115 *a*, al. 3, phrase 2.

ART. 115 *e* **[Position et fonctions de la Commission commune]**. — *(1)* Si la Commission commune pendant l'état de défense constate à la majorité des deux tiers des voix exprimées, et au moins à la majorité de ses membres, que la réunion en temps utile du Bundestag se heurte à des obstacles insurmontables, ou que celui-ci ne réunit pas le quorum, la Commission commune prend la place du Bundestag et du Bundesrat et veille pareillement au respect de leurs droits. — *(2)* La Loi fondamentale ne peut être ni modifiée, ni abrogée totalement ou en partie par une loi de la Commission commune. Celle-ci n'est pas habilitée à promulguer des lois en vertu de l'art. 24, al. 1er, et de l'art. 29 (5).

ART. 115 *f* **[Pouvoirs extraordinaires du gouvernement fédéral pendant l'état de défense]**. — *(1)* Pendant l'état de défense et pour autant que les conditions l'exigent, le gouvernement fédéral peut 1) engager les gardes-frontières sur l'ensemble du territoire fédéral;

(5) Voir note 4.

2) donner aussi des instructions aux gouvernements régionaux en plus de l'administration fédérale et, s'il l'estime urgent, aux administrations régionales, en déléguant ses pouvoirs à des membres des gouvernements régionaux désignés par lui. — *(2)* Le Bundestag, le Bundesrat et la Commission commune doivent être mis immédiatement au courant des mesures prises en vertu de l'al. 1er.

ART. 115 *g* **[Statut et fonctions du Tribunal constitutionnel fédéral pendant l'état de défense].** — Le statut constitutionnel et l'exercice des fonctions constitutionnelles du Tribunal constitutionnel fédéral et de ses juges ne doivent pas être compromis. La loi sur le Tribunal constitutionnel fédéral ne peut être modifiée par une loi de la Commission commune que dans la mesure où de l'avis même du Tribunal c'est nécessaire pour qu'il puisse continuer à exercer ses fonctions. Jusqu'à la promulgation d'une telle loi, le Tribunal constitutionnel fédéral peut prendre les mesures qui s'imposent pour lui permettre de travailler. Les décisions prises en vertu de la phrase 2 et de la phrase 3 sont arrêtées par le Tribunal constitutionnel fédéral à la majorité des juges présents.

ART. 115 *h* **[Législatures et durée des mandats pendant l'état de défense].** — *(1)* Les législatures du Bundestag ou des Diètes des Länder arrivant à échéance pendant l'état de défense expirent six mois après la fin de cet état. Le mandat du président fédéral, ainsi que l'exercice de sa charge par le président du Bundesrat expirent neuf mois après la fin de l'état de défense. — *(2)* Si une nouvelle élection du chancelier fédéral par la Commission commune s'avère nécessaire, celle-ci élit un nouveau chancelier à la majorité de ses membres; le président fédéral fait une proposition à la Commission commune. Celle-ci ne peut voter la défiance qu'en élisant un nouveau chancelier à la majorité des deux tiers de ses membres. — *(3)* La dissolution du Bundestag est exclue pour la durée de l'état de défense.

ART. 115 *i* **[Pouvoirs extraordinaires des gouvernements des Länder]** — *(1)* Si les organes fédéraux compétents sont hors d'état de prendre les mesures qui s'imposent pour parer le danger, et si la situation exige indiscutablement une action autonome immédiate dans diverses parties du territoire fédéral, les gouvernements de Land ou les administrations ou délégués désignés par eux sont habilités à prendre dans le domaine de leurs attributions des mesures dans le sens de l'art. 115 *f*, al. 1er. — *(2)* Les mesures prises en vertu de l'al. 1er peuvent être annulées à tout moment par le gouvernement fédéral et aussi par les ministres-présidents des Länder à l'égard des administrations régionales et des administrations fédérales subordonnées.

ART. 115 *k* **[Rang et durée de validité des lois et ordonnances extraordinaires].** — *(1)* Pour la durée de leur validité, les lois en vertu des art. 115 *c*, 115 *e* et 115 *g* et les ordonnances en application de ces lois priment tout droit opposé. Ceci ne vaut pas pour un droit antérieur en vertu des art. 115 *c*, 115 *e* et 115 *g*. — *(2)* Les lois votées par la Commission commune et les ordonnances en application de ces lois sont abrogées au plus tard six mois après la fin de l'état de défense. — *(3)* Les lois qui contiennent des dispositions en dérogation aux art. 91 *a*, 91 *b*, 104 *a*, 106 et 107 sont valides tout au plus jusqu'à l'expiration du deuxième exercice qui suit la fin de l'état de défense. Elles peuvent être modifiées à la fin de l'état de défense par loi fédérale requérant l'approbation du Bundesrat en vue de revenir graduellement au règlement prévu aux chapitres VIII *a* et X.

ART. 115 *l* **[Abrogation des lois extraordinaires, fin de l'état de défense, conclusion de la paix]**. — *(1)* Le Bundestag peut à tout moment avec l'accord du Bundesrat abroger des lois de la Commission commune. Le Bundesrat peut exiger que le Bundestag se prononce à ce sujet. D'autres mesures prises par la Commission commune pour parer le danger doivent être levées si le Bundestag et le Bundesrat le décident. — *(2)* Avec l'accord du Bundesrat, le Bundestag peut à tout moment proclamer la fin de l'état de défense par une décision que doit promulguer le président fédéral. Le Bundesrat peut à tout moment exiger que le Bundestag se prononce à ce sujet. Il faut proclamer la fin de l'état de défense dès que les conditions pour sa constatation ne sont plus réunies. — *(3)* La décision concernant la conclusion de la paix est prise par loi fédérale.

11. Dispositions transitoires et finales

. . . .

ART. 121 **[Définition de la majorité]**. — Au sens de la présente Loi fondamentale, la majorité des membres du Bundestag et de l'Assemblée fédérale est la majorité du nombre légal de leurs membres.

. . . .

ART. 126 **[Litiges concernant la validité d'anciens droits]**. — Le Tribunal constitutionnel fédéral statue sur les contestations portant sur l'applicabilité du droit antérieur à titre de droit fédéral (6).

. . . .

ART. 137 **[Eligibilité de fonctionnaires]**. — *(1)* L'éligibilité des fonctionnaires, employés publics, militaires de carrière, soldats engagés volontaires à temps et juges dans la Fédération, les Länder et les communes peut être limitée par la loi. (...).

. . . .

ART. 140 **[Validité d'articles de la Constitution de Weimar]**. — Les dispositions des art. 136, 137, 138, 139 et 141 de la Constitution allemande du 11 août 1919 forment partie intégrante de la présente Loi fondamentale (...) (7).

. . . .

(6) « Anciens droits », « droit antérieur » sont des expressions qui renvoient au droit en vigueur avant la première réunion du *Bundestag*.

(7) Voir les articles ci-après.

ART. 142 **[Droits fondamentaux dans les constitutions des Länder]**. — Nonobstant la disposition prévue à l'art. 31, les dispositions des Constitutions des Länder restent en vigueur aussi dans la mesure où elles garantissent des droits fondamentaux conformément aux art. 1 à 18 de la présente Loi fondamentale.

. . . .

ART. 146 **[Durée de validité de la Loi fondamentale]**. — La présente Loi fondamentale cesse d'avoir effet le jour auquel entrera en vigueur la Constitution qui aura été adoptée par le peuple allemand libre de ses décisions.

II. — Extraits de la constitution allemande du 11 août 1919 (dite de Weimar) (8)

ART. 136. — *(I)* Les droits et devoirs civils et civiques ne dépendent pas de l'exercice de la liberté de religion et ne sont pas restreints par cet exercice. — *(II)* La jouissance des droits civils et civiques ainsi que l'admission aux charges publiques sont indépendantes de la confession religieuse. — *(III)* Nul n'est tenu de révéler sa conviction religieuse. Les autorités n'ont le droit de s'informer de l'appartenance à une église ou à un culte que dans la mesure où des droits et des devoirs en dépendent ou dans la mesure où un recensement statistique ordonné par la loi l'exige. — *(IV)* Nul ne peut être contraint à un acte cultuel ou à une solennité cultuelle ou à prendre part à des exercices religieux ou à prononcer une formule religieuse de serment.

ART. 137. — *(I)* Il n'existe pas d'église d'Etat. — *(II)* La liberté d'association en églises ou cultes est garantie. L'union d'églises ou de cultes à l'intérieur du territoire du Reich n'est soumise à aucune restriction. — *(III)* Chaque église ou culte règle et administre ses affaires de façon autonome dans les limites de la législation valable pour tous. Ils confèrent leurs charges sans intervention de l'Etat ou des communes. — *(IV)* Les églises ou cultes acquièrent la capacité juridique conformément aux dispositions générales du droit civil. — *(V)* Les églises ou cultes demeurent des organismes de droit public s'ils l'étaient jusqu'à présent. Aux autres églises ou cultes les mêmes droits seront accordés sur leur demande si, du fait de leur constitution et du nombre de leurs membres, ils offrent la garantie de la durée. Si plusieurs églises ou cultes constituant des organismes de droit public s'associent en un groupement, ce groupement est également un organisme de droit public. — *(VI)* Les églises ou cultes qui sont des organismes de droit public sont autorisés à lever des impôts sur la base des rôles des contributions, dans les conditions fixées par le droit de Land. — *(VII)* Sont assimilées aux églises ou cultes les associations qui ont pour but de servir en commun une

(8) Voir art. 140 ci-dessus.

conception de l'univers déterminée. — *(VIII)* Une réglementation plus détaillée qui serait exigée par l'exécution de ces dispositions appartiendra à la législation de Land.

Art. 138. — *(I)* Les prestations de l'Etat aux églises et cultes, basées sur des lois, des accords ou des titres constitutifs particuliers, sont rachetées en vertu d'un règlement législatif de Land. Les principes y applicables sont établis par le Reich. — *(II)* La propriété et les autres droits des églises et des cultes ainsi que des associations religieuses sur leurs établissements, fondations et autres biens destinés à des buts afférents au culte, à l'enseignement et à la bienfaisance sont garantis.

Art. 139. — Le dimanche et les fêtes légales demeurent garantis par la loi en tant que jours de repos et de recueillement spirituel.

Art. 141. — Dans la mesure où il existe un besoin de culte divin et de ministère spirituel dans l'armée, les hôpitaux, les établissements pénitentiaires et autres établissements publics, les églises et les cultes doivent être admis à accomplir des actes religieux, en l'absence de toute contrainte.

III. — Loi du 12 mars 1951 relative au Tribunal constitutionnel fédéral (9)

Première Partie. — Constitution et attributions du tribunal

Article Premier. — *(1)* Le Tribunal constitutionnel fédéral est une Cour de justice fédérale autonome et indépendante à l'égard de tous les autres organes constitutionnels. — *(2)* Le siège du Tribunal constitutionnel fédéral est à Karlsruhe.

Art. 2. — *(1)* Le Tribunal constitutionnel comporte deux sections (Sénat). — *(2)* Chaque section comprend huit juges élus. — *(3)* Trois juges de chaque section proviennent des cours suprêmes du Bund. Seuls les juges qui ont été affectés pendant trois ans au moins à l'une des cours suprêmes du Bund peuvent être élus.

Art. 3. — *(1)* Les juges doivent être âgés de quarante ans au moins, être éligibles au Bundestag et avoir accepté par écrit de devenir membre du Tribunal constitutionnel fédéral. — *(2)* Ils doivent remplir les conditions pour être juges conformément à la loi judiciaire allemande. — *(3)* Ils ne peuvent appartenir ni au Bundestag, au Bundesrat, au gouvernement fédéral, ni aux organes correspondants d'un Land. Au moment de leur nomination, leur mandat dans ces organes prend fin. — *(4)* Toute autre activité professionnelle hormis celle de professeur de droit dans une université allemande est incompatible avec l'emploi de juge constitutionnel.

(9) Traduction inédite réalisée par Mme le professeur Grewe-Leymarie.

L'activité de juge constitutionnel a priorité sur celle de professeur d'université.

ART. 4. — *(1)* Le mandat des juges prend fin au bout de douze ans, au plus tard à l'âge limite de la retraite. — *(2)* Toute réélection subséquente ou ultérieure d'un juge est exclue. — *(3)* L'âge limite de la retraite est atteint à la fin du mois au cours duquel se situe le soixante-huitième anniversaire des juges. — *(4)* Les juges poursuivent leur service au-delà du terme de leur mandat jusqu'à la nomination de leur successeur.

ART. 5. — *(1)* Le Bundestag et le Bundesrat élisent respectivement la moitié des juges de chaque section. L'un de ces organes électeurs élit un, l'autre deux des juges pris parmi les membres des cours fédérales suprêmes; l'un élit trois, l'autre deux des autres juges.

. . . .

ART. 13. — Le Tribunal constitutionnel fédéral statue dans les cas prévus par la Loi fondamentale, à savoir : 1) sur la déchéance des droits fondamentaux (art. 18 LF); 2) sur l'inconstitutionnalité des partis politiques (art. 21, al. 2 LF); 3) sur les réclamations dirigées contre les décisions du Bundestag relatives à la validité d'une élection, à l'acquisition ou à la perte de la qualité de membre du Bundestag (art. 41, al. 2 LF); 4) sur les mises en accusation du président de la République fédérale par le Bundestag ou le Bundesrat (art. 61 LF); 5) sur l'interprétation de la Loi fondamentale à l'occasion de litiges portant sur l'étendue des droits et des obligations des organes fédéraux suprêmes ou d'autres intéressés auxquels la Loi fondamentale ou le règlement intérieur d'un organe fédéral suprême attribuent des droits propres (art. 93, al. 1er, n° 1); 6) en cas de divergences d'opinion ou de doutes sur la conformité formelle ou matérielle du droit fédéral ou du droit fédéré à la Loi fondamentale ou sur la conformité du droit fédéré à d'autres dispositions du droit fédéral, si le gouvernement fédéral, le gouvernement d'un Land ou le tiers des membres du Bundestag le demandent (art. 93, al. 1er, n° 2 LF); 7) en cas de divergences d'opinion sur les droits et les obligations du Bund et des Länder, en particulier lors de l'exécution par les Länder du droit fédéral et lors de l'exercice du contrôle fédéral (art. 93, al. 1er, n° 3, et art. 84, al. 4, 2e phrase LF); 8) sur les autres litiges de droit public entre le Bund et les Länder, entre différents Länder ou à l'intérieur d'un Land, pour autant qu'il n'existe pas d'autre voie de recours (art. 93, al. 1er, n° 4 LF); 8 a) sur les plaintes constitutionnelles (art. 93, al. 1er, n° 4 a, 4 b); 9) sur les procédures de prise à partie dirigées contre des juges fédéraux et des juges fédérés (art. 98, al. 2 et 5); 10) sur ceux des litiges constitutionnels à l'intérieur d'un Land qu'une loi fédérée a déférés au Tribunal constitutionnel fédéral (art. 99 LF); 11) sur la conformité d'une loi fédérale ou d'une loi fédérée à la Loi fondamentale ou sur la conformité d'une loi fédérée ou d'autres dispositions du droit fédéré à une loi fédérale, si un tribunal le demande (art. 100, al. 1er LF); 12) en cas de doutes quant à l'appartenance d'une règle du droit international public au droit fédéral ou quant à la création immédiate par cette règle de droits ou d'obligations dans le chef des individus, si le tribunal le demande (art. 100, al. 2 LF); 13) lorsque le Tribunal constitutionnel d'un Land veut adopter une interprétation de la Loi fondamentale qui diverge des décisions du Tribunal constitutionnel fédéral ou de celles du Tribunal constitutionnel d'un autre Land, si ce Tribunal le demande (art. 100, al. 3 LF); 14) en cas de divergence d'opinion sur le maintien en vigueur de dispositions en tant que droit fédéral (art. 126 LF); 15) dans les autres cas prévus par la loi fédérale (art. 93, al. 2 LF).

. . . .

ART. 15. — *(1)* (...). — *(2)* Chaque section peut valablement délibérer si au moins six juges sont présents. Pour pouvoir adopter, dans le cadre de la procédure prévue à l'art. 13, n°s 1, 2, 4 et 9, une décision défavorable au requérant, il faut une majorité des deux tiers des membres de la section. Dans les autres cas et à moins qu'une loi n'en dispose autrement, il suffit de la majorité des membres de la section qui concourent à la décision. En cas de partage des voix, aucune atteinte à la Loi fondamentale ou à d'autres dispositions fédérales ne peut être retenue.

ART. 16. — *(1)* Lorsqu'une section veut, à propos d'une question juridique, adopter une conception juridique différente de celle qui est contenue dans une décision de l'autre section, l'assemblée plénière en décide. — *(2)* Celle-ci peut valablement adopter une décision lorsque les deux tiers des juges de chaque section sont présents.

DEUXIÈME PARTIE. — **Règles générales de procédure**

. . . .

ART. 23. — *(1)* Les requêtes introductives de l'instance doivent être adressées par écrit au Tribunal constitutionnel fédéral. Elles doivent être motivées; les moyens de preuve doivent être indiqués. — *(2)* Le président transmet aussitôt la requête à la partie adverse ainsi qu'aux autres intéressés et les invite à prendre position dans un délai à déterminer. — *(3)* Le président peut demander à toute partie de fournir, dans un délai à déterminer, le nombre de copies de son mémoire nécessaires pour le Tribunal et les autres parties.

ART. 24. — Les requêtes irrecevables ou manifestement mal fondées peuvent être rejetées par une décision unanime de la Cour. Cette décision ne nécessite aucune autre motivation dès lors que le requérant a été, au préalable, informé des doutes quant à la recevabilité ou quant au fondement de sa requête.

ART. 25. — *(1)* Sous réserve de dispositions contraires, le Tribunal constitutionnel prend sa décision sur la base d'un débat oral à moins que tous les intéressés y renoncent expressément. — *(2)* Lorsqu'il y a eu un débat oral, le Tribunal se prononce par un jugement *(Urteil)*, en l'absence de débat oral, il se prononce par une résolution *(Beschluss)*. — *(3)* Les décisions partielles ou intermédiaires sont admises. — *(4)* Les décisions du Tribunal constitutionnel fédéral sont rendues « au nom du peuple ».

ART. 26. — *(1)* Le Tribunal constitutionnel administre la preuve nécessaire à la découverte de la vérité. En dehors des débats oraux, il peut en charger un membre du Tribunal ou un autre tribunal s'il limite la recherche à certains faits ou à certaines personnes. — *(2)* A la majorité des deux tiers des voix le Tribunal peut décider que certains documents ne seront pas consultés si leur utilisation est incompatible avec la sûreté de l'Etat.

. . . .

ART. 30. — *(1)* Le Tribunal constitutionnel fédéral prend sa décision au cours d'une délibération à huis clos selon la conviction qu'il s'est librement forgée sur le contenu des débats et sur l'administration de la preuve. La décision doit être écrite, motivée et signée par les juges qui y ont concouru. Elle est ensuite lue publiquement avec les motifs essentiels et, si des débats oraux ont eu lieu, la date de cette lecture doit y avoir été annoncée sans pouvoir excéder trois mois. La date de la lecture publique d'une décision peut être reportée par une résolution du Tribunal constitutionnel fédéral; il est alors possible de dépasser le délai de trois mois. — *(2)* Tout juge peut, dans un vote particulier, consigner l'opinion dissidente ou individuelle qu'il a soutenue au cours du délibéré. Le vote particulier est annexé à la décision. Les sections peuvent indiquer dans leurs décisions le rapport des voix (...). — *(3)* Toutes les décisions doivent être transmises aux parties.

ART. 31. — *(1)* Les décisions du Tribunal constitutionnel fédéral lient les organes constitutionnels du Bund et des Länder ainsi que tous les tribunaux et les administrations. — *(2)* Dans les hypothèses visées par l'art. 13, n°s 6, 11, 12 et 14, les décisions du Tribunal constitutionnel fédéral ont force législative. Ceci vaut également dans les cas de l'art. 13, n° 8 *a*, lorsque le Tribunal constitutionnel fédéral a déclaré une loi conforme ou non conforme à la Loi fondamentale ou à d'autres dispositions du droit fédéral ou lorsqu'il a annulé la loi. Lorsqu'une loi est déclarée conforme ou non conforme à la Loi fondamentale ou à d'autres dispositions du droit fédéral ou lorsqu'elle est déclarée nulle, le ministre fédéral de la Justice publie le dispositif au *Journal officiel*. Il en va de même pour le dispositif dans les cas de l'art. 13, n°s 12 et 14.

. . . .

CHAPITRE IV

LA SUISSE

Constitution fédérale du 29 mai 1874 (1)

CHAPITRE PREMIER. — Dispositions générales

ARTICLE PREMIER. — Les peuples des vingt-trois cantons souverains de la Suisse, unis par la présente alliance (...), forment dans leur ensemble la Confédération suisse.

. . . .

ART. 3. — Les cantons sont souverains en tant que leur souveraineté n'est pas limitée par la constitution fédérale, et, comme tels, ils exercent tous les droits qui ne sont pas délégués au pouvoir fédéral.

ART. 4. — Tous les Suisses sont égaux devant la loi. Il n'y a en Suisse ni sujets, ni privilèges de lieu, de naissance, de personnes ou de familles.

ART. 5. — La Confédération garantit aux cantons leur territoire, leur souveraineté dans les limites fixées par l'art. 3, leurs constitutions, la liberté et les droits du peuple, les droits constitutionnels des citoyens, ainsi que les droits et les attributions que le peuple a conférés aux autorités.

ART. 6. — *(1)* Les cantons sont tenus de demander à la Confédération la garantie de leurs constitutions. — *(2)* Cette garantie est accordée, pourvu : *a)* que ces constitutions ne renferment rien de contraire aux dispositions de la constitution fédérale; *b)* qu'elles assurent l'exercice des droits politiques d'après des formes républicaines — représentatives ou démocratiques; *c)* qu'elles aient été acceptées par le peuple et qu'elles puissent être révisées lorsque la majorité absolue des citoyens le demande.

ART. 7. — *(1)* Toute alliance particulière et tout traité d'une nature politique entre cantons sont interdits. — *(2)* En revanche,

(1) Texte fourni par la Chancellerie fédérale (Berne, 1981). Pour gagner de la place, les alinéas, au sein de chaque article, ne sont indiqués que par leur numéro : — *(1)*, — *(2)*, etc.

les cantons ont le droit de conclure entre eux des conventions sur des objets de législation, d'administration ou de justice; toutefois, ils doivent les porter à la connaissance de l'autorité fédérale, laquelle, si ces conventions renferment quelque chose de contraire à la Confédération ou aux droits des autres cantons, est autorisée à en empêcher l'exécution. Dans le cas contraire, les cantons contractants sont autorisés à réclamer pour l'exécution la coopération des autorités fédérales.

ART. 8. — La Confédération a seule le droit de déclarer la guerre et de conclure la paix, ainsi que de faire, avec les Etats étrangers, des alliances et des traités, notamment des traités de péage (douanes) et de commerce.

ART. 9. — Exceptionnellement, les cantons conservent le droit de conclure, avec les Etats étrangers, des traités sur des objets concernant l'économie publique, les rapports de voisinage et de police; néanmoins, ces traités ne doivent rien contenir de contraire à la Confédération ou aux droits d'autres cantons (2).

. . . .

CHAPITRE II. — **Autorités fédérales**

I. — Assemblée fédérale

ART. 71. — Sous réserve des droits du peuple et des cantons (art. 89 et 123) (3), l'autorité suprême de la Confédération est exercée par l'Assemblée fédérale, qui se compose de deux sections ou conseils, savoir : A) le Conseil national; B) le Conseil des Etats.

A) *Conseil national*

ART. 72. — *(1)* Le Conseil national se compose de deux cents députés du peuple suisse. — *(2)* Les sièges sont répartis entre les cantons et demi-cantons proportionnellement à leur population de résidence, chaque canton et demi-canton ayant droit à un siège au moins (...).

ART. 73. — *(1)* Les élections pour le Conseil national sont directes. Elles ont lieu d'après le principe de la proportionnalité, chaque canton ou demi-canton formant un collège électoral (...).

ART. 74. — *(1)* Les Suisses et les Suissesses ont les mêmes droits et les mêmes devoirs en matière d'élections et de votations fédérales. — *(2)* Tous les Suisses et toutes les Suissesses âgés de vingt ans révolus et qui ne sont pas privés des droits politiques par la législation de la Confédération ou du canton de domicile ont le droit de prendre part à ces élections et votations. — *(3)* La Confédé-

(2) Parmi les nombreux articles ci-après supprimés, bon nombre concernent la répartition de compétences ponctuelles entre la Fédération et les cantons.

(3) Actuellement : art. 89, 89 *bis* et 123.

ration peut édicter des dispositions législatives uniformes sur le droit de prendre part aux élections et votations en matière fédérale. — *(4)* Le droit cantonal demeure réservé pour les votations et élections cantonales et communales.

ART. 75. — Est éligible comme membre du Conseil national tout citoyen suisse laïque et ayant droit de voter.

ART. 76. — Le Conseil national est élu pour quatre ans et renouvelé intégralement chaque fois.

ART. 77. — Les députés au Conseil des Etats, les membres du Conseil fédéral et les fonctionnaires nommés par ce Conseil ne peuvent être simultanément membres du Conseil national.

. . . .

B) *Conseil des Etats*

ART. 80. — Le Conseil des Etats se compose de quarante-six députés des cantons. Chaque canton nomme deux députés; dans les cantons partagés, chaque demi-Etat en élit un.

ART. 81. — Les membres du Conseil national et ceux du Conseil fédéral ne peuvent être députés au Conseil des Etats.

. . . .

C) *Attributions de l'Assemblée fédérale*

ART. 84. — Le Conseil national et le Conseil des Etats délibèrent sur tous les objets que la présente constitution place dans le ressort de la Confédération et qui ne sont pas attribués à une autre autorité fédérale.

ART. 85. — Les affaires de la compétence des deux conseils sont notamment les suivantes : 1) les lois sur l'organisation et le mode d'élection des autorités fédérales; 2) les lois et arrêtés sur les matières que la constitution place dans la compétence fédérale; 3) le traitement et les indemnités des membres des autorités de la Confédération et de la chancellerie fédérale; la création de fonctions fédérales permanentes et la fixation des traitements; 4) l'élection du Conseil fédéral, du Tribunal fédéral et du chancelier, ainsi que du général en chef de l'armée fédérale; la législation fédérale pourra attribuer à l'Assemblée fédérale d'autres droits d'élection ou de confirmation; 5) les alliances et les traités avec les Etats étrangers, ainsi que l'approbation des traités des cantons entre eux ou avec les Etats étrangers; toutefois, les traités des cantons ne sont portés à l'Assemblée fédérale que lorsque le Conseil fédéral ou un autre canton élève des réclamations; 6) les mesures pour la sûreté extérieure, ainsi que pour le maintien de l'indépendance et de la neutralité de la Suisse; les déclarations de guerre et la conclusion de la paix; 7) la garantie des constitutions et du territoire des cantons; l'intervention par suite de cette garantie; les mesures pour la sûreté intérieure de la Suisse, pour le maintien de la tranquillité et de l'ordre; l'amnistie et le droit de grâce; 8) les mesures pour faire respecter la constitution fédérale et assurer la garantie des constitutions cantonales, ainsi que celles qui ont pour but d'obtenir l'accomplissement des devoirs fédéraux; 9) le droit de disposer de l'armée fédérale; 10) l'établissement du budget annuel, l'approbation des comptes de l'Etat et les arrêtés autorisant des emprunts; 11) la haute surveillance de l'administration et de la justice fédérale; 12) les réclamations contre les décisions du Conseil fédéral relatives à des contestations administratives (art. 113); 13) les conflits de compétence entre autorités fédérales; 14) la révision de la constitution fédérale.

. . . .

Art. 88. — Dans le Conseil national et dans le Conseil des Etats, les décisions sont prises à la majorité absolue des votants.

Art. 89. — *(1)* Les lois fédérales et les arrêtés fédéraux ne peuvent être rendus qu'avec l'accord des deux conseils. — *(2)* Les lois fédérales et les arrêtés fédéraux de portée générale doivent être soumis à l'adoption ou au rejet du peuple lorsque la demande en est faite par 50 000 citoyens actifs ou par huit cantons. — *(3)* Le 2ᵉ al. est aussi applicable aux traités internationaux qui : *a)* Sont d'une durée indéterminée et ne sont pas dénonçables; *b)* Prévoient l'adhésion à une organisation internationale; *c)* Entraînent une unification multilatérale du droit. — *(4)* Par une décision des deux conseils, le 2ᵉ al. est applicable à d'autres traités. — *(5)* L'adhésion à des organisations de sécurité collective ou à des communautés supranationales est soumise au vote du peuple et des cantons.

Art. 89 *bis*. — *(1)* Les arrêtés fédéraux de portée générale dont l'entrée en vigueur ne souffre aucun retard peuvent être mis en vigueur immédiatement par une décision prise à la majorité de tous les membres de chacun des deux conseils; leur durée d'application doit être limitée. — *(2)* Lorsque la votation populaire est demandée par 50 000 citoyens actifs ou par huit cantons, les arrêtés fédéraux mis en vigueur d'urgence perdent leur validité un an après leur adoption par l'Assemblée fédérale s'ils ne sont pas approuvés par le peuple dans ce délai; ils ne peuvent alors être renouvelés. — *(3)* Les arrêtés fédéraux mis en vigueur d'urgence qui dérogent à la constitution doivent être ratifiés par le peuple et les cantons dans l'année qui suit leur adoption par l'Assemblée fédérale; à ce défaut, ils perdent leur validité à l'expiration de ce délai et ne peuvent être renouvelés.

. . . .

Art. 91. — Les membres des deux conseils votent sans instructions.

Art. 92. — Chaque conseil délibère séparément. Toutefois, lorsqu'il s'agit des élections mentionnées à l'art. 85, chiffre 4, d'exercer le droit de grâce ou de prononcer sur un conflit de compétence (art. 85, chiffre 13), les deux conseils se réunissent pour délibérer en commun sous la direction du président du Conseil national, et c'est la majorité des membres votants des deux conseils qui décide.

Art. 93. — *(1)* L'initiative appartient à chacun des deux conseils et à chacun de leurs membres. — *(2)* Les cantons peuvent exercer le même droit par correspondance.

ART. 94. — Dans la règle, les séances des conseils sont publiques.

II. — Conseil fédéral

ART. 95. — L'autorité directoriale et exécutive supérieure de la Confédération est exercée par un Conseil fédéral composé de sept membres.

ART. 96. — *(1)* Les membres du Conseil fédéral sont nommés pour quatre ans, par les conseils réunis, et choisis parmi tous les citoyens suisses éligibles au Conseil national. On ne pourra toutefois choisir plus d'un membre du Conseil fédéral dans le même canton. — *(2)* Le Conseil fédéral est renouvelé intégralement après chaque renouvellement du Conseil national. — *(3)* Les membres qui font vacance dans l'intervalle des quatre ans sont remplacés, à la première session de l'Assemblée fédérale, pour le reste de la durée de leurs fonctions.

ART. 97. — Les membres du Conseil fédéral ne peuvent, pendant la durée de leurs fonctions, revêtir aucun autre emploi, soit au service de la Confédération, soit dans un canton, ni suivre d'autre carrière ou exercer de profession.

ART. 98. — *(1)* Le Conseil fédéral est présidé par le président de la Confédération. Il a un vice-président. — *(2)* Le président de la Confédération et le vice-président du Conseil fédéral sont nommés pour une année, par l'Assemblée fédérale, entre les membres du conseil. — *(3)* Le président sortant de charge ne peut être élu président ou vice-président pour l'année qui suit. — *(4)* Le même membre ne peut revêtir la charge de vice-président pendant deux années de suite.

. . . .

ART. 101. — Les membres du Conseil fédéral ont voix consultative dans les deux sections de l'Assemblée fédérale, ainsi que le droit d'y faire des propositions sur les objets en délibération.

ART. 102. — Les attributions et les obligations du Conseil fédéral, dans les limites de la présente constitution, sont notamment les suivantes : 1) il dirige les affaires fédérales, conformément aux lois et arrêtés de la Confédération; 2) il veille à l'observation de la constitution, des lois et des arrêtés de la Confédération, ainsi que des prescriptions des concordats fédéraux; il prend, de son chef ou sur plainte, les mesures nécessaires pour les faire observer, lorsque le recours n'est pas du nombre de ceux qui doivent être portés devant le Tribunal fédéral à teneur de l'art. 113; 3) il veille à la garantie des constitutions cantonales; 4) il présente des projets de lois ou d'arrêtés à l'Assemblée fédérale et donne son préavis sur les propositions qui lui sont adressées par les conseils ou par les cantons; 5) il pourvoit à l'exécution des lois et des arrêtés de la Confédération et à celle des jugements du Tribunal fédéral, ainsi que des transactions ou des sentences arbitrales sur des différends entre cantons; 6) il fait les nominations qui ne sont pas attribuées à l'Assemblée fédérale ou au Tribunal fédéral ou à une autre autorité; 7) il examine les traités des cantons entre eux ou avec l'étranger, et il les approuve, s'il y a lieu (art. 85, chiffre 5); 8) il veille aux intérêts de la Confédération au-dehors, notamment à l'observation de ses rapports internationaux, et il est, en général, chargé des relations extérieures; 9) il veille à la sûreté extérieure de la Suisse, au maintien de son indépendance et de sa neutralité; 10) il veille à la sûreté intérieure de la Confédération, au maintien de la tranquillité et de l'ordre; 11) en cas d'urgence et lorsque l'Assemblée fédérale n'est pas réunie, le Conseil fédéral est autorisé à lever les troupes nécessaires et à en disposer, sous réserve de convoquer immédiatement les conseils si le nombre des troupes levées dépasse deux mille hommes ou si elles restent sur pied au-delà de trois semaines; 12) il est chargé de ce qui a rapport au militaire fédéral, ainsi que de toutes les autres branches de l'administration qui appartiennent à la Confédération; 13) il examine les lois et les ordonnances des cantons qui doivent être soumises à son approbation; il exerce la surveillance sur les branches de l'administration cantonale qui sont placées sous son contrôle; 14) il administre les finances de la Confédération, propose le budget et rend les comptes des recettes et des dépenses; 15) il surveille la gestion de tous les fonctionnaires et employés de l'administration fédérale; 16) il rend compte de sa gestion à l'Assemblée fédérale à chaque session ordinaire, lui présente un rapport sur la situation de la Confédération tant à l'intérieur qu'au-dehors, et recommande à son attention les mesures qu'il croit utiles à l'accroissement de la prospérité commune; il fait aussi des rapports spéciaux lorsque l'Assemblée fédérale ou une de ses sections le demande.

ART. 103. — *(1)* Les affaires du Conseil fédéral sont réparties par départements entre ses membres. Les décisions émanent du Conseil fédéral comme autorité. — *(2)* La législation fédérale peut autoriser les départements ou les services qui en dépendent à régler eux-mêmes certaines affaires (...).

. . . .

IV. — Tribunal fédéral

ART. 106. — *(1)* Il y a un Tribunal fédéral pour l'administration de la justice en matière fédérale (...).

ART. 107. — *(1)* Les membres et les suppléants du Tribunal fédéral sont nommés par l'Assemblée fédérale, qui aura égard à ce que les trois langues officielles de la Confédération y soient représentées. — *(2)* La loi détermine l'organisation du Tribunal fédéral et de ses sections, le nombre de ses membres et des suppléants, la durée de leurs fonctions et leur traitement.

ART. 108. — *(1)* Peut être nommé au Tribunal fédéral tout citoyen suisse éligible au Conseil national. — *(2)* Les membres de l'Assemblée fédérale et du Conseil fédéral et les fonctionnaires nommés par ces autorités ne peuvent en même temps faire partie du Tribunal fédéral. — *(3)* Les membres du Tribunal fédéral ne peuvent, pendant la durée de leurs fonctions, revêtir aucun autre emploi, soit au service de la Confédération, soit dans un canton, ni suivre d'autre carrière ou exercer de profession.

. . . .

ART. 110. — *(1)* Le Tribunal fédéral connaît des différends de droit civil : 1) entre la Confédération et les cantons; 2) entre la Confédération, d'une part, et des corporations ou des particuliers, d'autre part, quand ces corporations ou ces particuliers sont demandeurs et quand le litige atteint le degré d'importance que déterminera la législation fédérale; 3) entre cantons; 4) entre des cantons, d'une part, et des corporations ou des particuliers, d'autre part, quand une des parties le requiert et que le litige atteint le degré d'importance que déterminera la législation fédérale (...).

. . . .

ART. 112. — Le Tribunal fédéral, assisté du jury, lequel statue sur les faits, connaît en matière pénale : 1) des cas de haute trahison envers la Confédération, de révolte ou de violence contre les autorités fédérales; (...) 3) des crimes et des délits politiques qui sont la cause ou la suite de troubles par lesquels une intervention fédérale armée est occasionnée ; (...).

ART. 113. — *(1)* Le Tribunal fédéral connaît, en outre : 1) des conflits de compétence entre les autorités fédérales, d'une part, et les autorités cantonales, d'autre part; 2) des différends entre cantons, lorsque ces différends sont du domaine du droit public; 3) des réclamations pour violation de droits constitutionnels des citoyens, ainsi que des réclamations de particuliers pour violation de concordats ou de traités (...). — *(3)* Dans tous les cas prémentionnés, le Tribunal fédéral appliquera les lois votées par l'Assemblée fédérale et les arrêtés de cette assemblée qui ont une portée générale. Il se conformera également aux traités que l'Assemblée fédérale aura ratifiés.

. . . .

CHAPITRE III. — **Révision de la constitution fédérale**

ART. 118. — La constitution fédérale peut être révisée en tout temps, totalement ou partiellement.

ART. 119. — La révision totale a lieu dans les formes statuées pour la législation fédérale.

ART. 120. — *(1)* Lorsqu'une section de l'Assemblée fédérale décrète la révision totale de la constitution fédérale et que l'autre section n'y consent pas, ou bien lorsque cent mille citoyens suisses ayant droit de voter demandent la révision totale, la question de savoir si la constitution fédérale doit être révisée est, dans l'un comme dans l'autre cas, soumise à la votation du peuple suisse, par oui ou par non. — *(2)* Si, dans l'un ou dans l'autre de ces cas, la majorité des citoyens suisses prenant part à la votation se prononce pour l'affirmative, les deux conseils seront renouvelés pour travailler à la révision.

ART. 121. — *(1)* La révision partielle peut avoir lieu soit par la voie de l'initiative populaire, soit dans les formes statuées pour la législation fédérale. — *(2)* L'initiative populaire consiste en une demande présentée par cent mille citoyens suisses ayant le droit de vote et réclamant l'adoption d'un nouvel article constitutionnel ou l'abrogation ou la modification d'articles déterminés de la constitution en vigueur. — *(3)* Si, par la voie de l'initiative populaire, plusieurs dispositions différentes sont présentées pour être révisées ou pour être introduites dans la constitution fédérale, chacune d'elles doit former l'objet d'une demande d'initiative distincte. — *(4)* La demande d'initiative peut revêtir la forme d'une proposition conçue en termes généraux ou celle d'un projet rédigé de toutes pièces. — *(5)* Lorsque la demande d'initiative est conçue en termes généraux, les chambres fédérales, si elles l'approuvent, procéderont à la révision partielle dans le sens indiqué et en soumettront le projet à l'adoption ou au rejet du peuple et des cantons. Si, au contraire, elles ne l'approuvent pas, la question de la révision partielle sera soumise à la votation du peuple; si la majorité des citoyens suisses prenant part à la votation se prononce pour l'affirmative, l'Assemblée fédérale procédera à la révision en se conformant à la décision populaire. — *(6)* Lorsque la demande revêt la forme d'un projet rédigé de toutes pièces et que l'Assemblée fédérale lui donne son approbation, le projet sera soumis à l'adoption ou au rejet du peuple et des cantons. Si l'Assemblée fédérale n'est pas d'accord, elle peut élaborer un projet distinct ou recommander au peuple le rejet du projet proposé et soumettre à la votation son contreprojet ou sa proposition de rejet en même temps que le projet émané de l'initiative populaire.

. . . .

ART. 123. — *(1)* La constitution fédérale révisée ou la partie révisée de la constitution entre en vigueur lorsqu'elle a été acceptée par la majorité des citoyens suisses prenant part à la votation et par la majorité des Etats. — *(2)* Pour établir la majorité des Etats, le vote d'un demi-canton est compté pour une demi-voix. — *(3)* Le résultat de la votation populaire dans chaque canton est considéré comme le vote de l'Etat.

. . . .

CHAPITRE V

L'ITALIE

Constitution du 27 décembre 1947 (1)

Principes fondamentaux

ARTICLE PREMIER. — *(1)* L'Italie est une république démocratique, fondée sur le travail. — *(2)* La souveraineté appartient au peuple, qui l'exerce sous les formes et dans les limites de la Constitution.

ART. 2. — La République reconnaît et garantit les droits inviolables de l'homme, aussi bien en tant qu'individu que dans les formations sociales où s'exerce sa personnalité, et exige l'accomplissement des devoirs absolus de solidarité politique, économique et sociale.

ART. 3. — *(1)* Tous les citoyens ont une même dignité sociale et sont égaux devant la loi, sans distinction de sexe, de race, de langue, de religion, d'opinions politiques, de conditions personnelles et sociales. — *(2)* Il appartient à la République d'aplanir les obstacles d'ordre économique et social qui, limitant effectivement la liberté et l'égalité des citoyens, s'opposent au plein épanouissement de la personne humaine et à la participation effective de tous les travailleurs à l'organisation politique, économique et sociale du pays.

ART. 4. — *(1)* La République reconnaît à tous les citoyens le droit au travail et crée les conditions qui rendent ce droit effectif. — *(2)* Tout citoyen a le devoir d'exercer, selon ses propres possibilités et son choix, une activité ou une fonction contribuant au progrès matériel ou spirituel de la société.

ART. 5. — La République, une et indivisible, reconnaît et favorise les autonomies locales; réalise la plus ample décentralisation administrative dans les services qui dépendent de l'Etat; adapte les principes et les méthodes de sa législation aux exigences de l'autonomie et de la décentralisation.

ART. 6. — La République protège par des normes particulières les minorités linguistiques.

(1) Traduction fournie par l'Institut culturel italien et établie par la Présidence du Conseil. Pour gagner de la place, les alinéas, au sein de chaque article, ne sont indiqués que par leur numéro : — *(1)*, — *(2)*, etc.

ART. 7. — *(1)* L'Etat et l'Eglise catholique sont, chacun dans son ordre particulier, indépendants et souverains (...).

ART. 8. — *(1)* Toutes les confessions religieuses sont également libres devant la loi (...).

. . . .

ART. 11. — L'Italie (...) consent, à condition de parité avec les autres Etats, aux limitations de souveraineté nécessaires à un ordre qui assure la paix et la justice au sein des Nations (...).

. . . .

PREMIÈRE PARTIE. — **Droits et devoirs des citoyens**

. . . .

TITRE IV. — **Relations politiques**

ART. 48. — *(1)* Sont électeurs tous les citoyens, hommes et femmes, qui ont atteint l'âge de la majorité. — *(2)* Le vote est individuel et égal, libre et secret. Son exercice est un devoir civique (...).

ART. 49. — Tous les citoyens ont le droit de s'associer librement en partis pour contribuer, selon la méthode démocratique, à la détermination de la politique nationale.

. . . .

SECONDE PARTIE. — **Organisation de la République**

TITRE PREMIER. — **Le Parlement**

Ire SECTION. — *Les Chambres*

ART. 55. — *(1)* Le Parlement est composé de la Chambre des députés et du Sénat de la République (...).

ART. 56. — *(1)* La Chambre des députés est élue au suffrage universel et direct. Le nombre des députés est de six cent trente. — *(2)* Sont éligibles députés tous les électeurs qui, le jour des élections, ont l'âge de vingt-cinq ans révolus. La répartition des sièges entre les circonscriptions a lieu en divisant le nombre d'habitants de la République, tel qu'il ressort du dernier recensement général, par 630 et en répartissant les sièges en proportion de la population de chaque circonscription, sur la base des quotients entiers et des nombres les plus élevés de voix restantes.

ART. 57. — *(1)* Le Sénat de la République est élu sur la base régionale. — *(2)* Le nombre des sénateurs élus est de trois cent quinze. — *(3)* Aucune région ne peut avoir un nombre de sénateurs inférieur à sept. Seules exceptions : le Molise, qui a deux sénateurs, et la Vallée d'Aoste, qui en a un. La répartition des sièges entre les régions, après application préalable des dispositions visées à l'alinéa précédent, a lieu en proportion de la population des régions, telle qu'elle ressort du dernier recensement général, sur la base des quotients entiers et des nombres de voix restantes les plus élevés.

ART. 58. — *(1)* Les sénateurs sont élus au suffrage universel et direct par les électeurs ayant vingt-cinq ans révolus. — *(2)* Sont éligibles sénateurs les électeurs qui ont atteint l'âge de quarante ans.

ART. 59. — *(1)* Est sénateur de droit et à vie, sauf en cas de renonciation, tout ancien Président de la République. — *(2)* Le Président de la République peut nommer sénateurs à vie cinq citoyens qui ont mérité de la Patrie par des actes ou réalisations exceptionnels dans les domaines social, scientifique, artistique ou littéraire.

ART. 60. — La Chambre des députés et le Sénat de la République sont élus pour cinq ans (...).

. . . .

ART. 62. — *(1)* Les Chambres reprennent leurs travaux, de droit, le premier jour non férié de février et d'octobre (...).

. . . .

ART. 64. — (...). — *(3)* Les délibérations de chaque Chambre et du Parlement tout entier ne sont valables que si la majorité de leurs membres sont présents et que si ces délibérations ont été approuvées à la majorité des présents, à moins que la Constitution ne prévoie une majorité spéciale. — *(4)* Les membres du gouvernement, même s'ils n'appartiennent pas au Parlement, ont le droit et, s'ils en sont requis, le devoir d'assister aux séances. Ils ont droit à la parole chaque fois qu'ils la demandent.

. . . .

ART. 66. — Chacune des deux Chambres juge des titres d'admission de ses membres et des causes d'inéligibilité et d'incompatibilité.

ART. 67. — Chaque membre du Parlement représente la Nation et exerce ses fonctions sans limitation de mandat.

. . . .

IIe SECTION. — *La formation des lois*

ART. 70. — La fonction législative est exercée collectivement par les deux Chambres.

ART. 71. — *(1)* L'initiative des lois revient au gouvernement, à chaque membre des Chambres, ainsi qu'aux organismes et aux institutions auxquels elle est attribuée par la loi constitutionnelle (2). — *(2)* Le peuple exerce l'initiative des lois, au moyen d'une proposition présentée par au moins cinquante mille électeurs et constituant un projet rédigé en articles.

. . . .

ART. 74. — *(1)* Le Président de la République, avant de promulguer une loi, peut, au moyen d'un message motivé adressé aux Chambres, demander une nouvelle délibération. — *(2)* Si les Chambres approuvent de nouveau la loi, celle-ci doit être promulguée.

ART. 75. — *(1)* Il y a référendum populaire pour décider l'abro-

(2) Par exemple : le Conseil national de l'Economie et du Travail (art. 99 non reproduit ici) et la Région (art. 121).

gation, totale ou partielle, d'une loi ou d'un acte ayant force de loi, lorsqu'il est requis par cinq cent mille électeurs ou par cinq conseils régionaux. — *(2)* Le référendum n'est pas admis pour les lois fiscales et budgétaires, d'amnistie et de remise de peine, d'autorisation à ratifier des traités internationaux (...). — *(4)* La proposition soumise au référendum est approuvée si la majorité des ayants droit ont participé au vote et si la majorité des suffrages valables exprimés a été atteinte (...).

ART. 76. — L'exercice de la fonction législative ne peut être délégué au Gouvernement que pour autant qu'ont été définis les principes et les directives de ce mandat et seulement pour une durée limitée et pour des objets définis.

ART. 77. — *(1)* Le Gouvernement ne peut promulguer de décrets ayant force de loi ordinaire sans que le pouvoir lui en soit expressément délégué par les Assemblées parlementaires. — *(2)* Lorsque, en cas extraordinaire de nécessité et d'urgence, le Gouvernement adopte, sous sa responsabilité, des mesures provisoires ayant force de loi, il doit, le jour même, les présenter pour leur conversion en lois aux Chambres.

ART. 78. — Les Chambres délibèrent de l'état de guerre et confèrent au Gouvernement les pouvoirs nécessaires (3).

. . . .

ART. 80. — Les Chambres autorisent par des lois la ratification des traités internationaux qui sont de nature politique, ou qui prévoient des arbitrages ou des règlements judiciaires, ou encore qui entraînent des modifications du territoire, des charges pour les finances ou des variations des lois.

ART. 81. — *(1)* Les Chambres approuvent chaque année le budget et l'état des comptes présentés par le Gouvernement. — *(2)* L'exercice provisoire du budget ne peut être admis que par une loi et pour des durées qui, dans leur ensemble, ne dépassent pas quatre mois. — *(3)* La loi d'approbation du budget ne peut autoriser à lever de nouveaux impôts ni à établir de nouvelles dépenses. — *(4)* Toute autre loi comportant des dépenses nouvelles ou accrues doit préciser les moyens d'y faire face.

ART. 82. — *(1)* Chacune des Assemblées peut ouvrir des enquêtes sur des matières d'intérêt public. — *(2)* Dans ce but, elle nomme parmi ses propres membres une commission formée de façon à refléter la proportion des différents groupes parlementaires. La commission d'enquête procède aux recherches et aux vérifications avec les mêmes pouvoirs et les mêmes limites que l'autorité judiciaire.

TITRE II. — **Le Président de la République**

ART. 83. — *(1)* Le Président de la République est élu par le Parlement en séance commune de ses membres. — *(2)* A cette

(3) L'acte de déclarer la guerre incombe, par ailleurs, au Président de la République (art. 87).

élection participent trois délégués pour chaque Région, élus par le Conseil régional de façon que la représentation des minorités soit assurée. La Vallée d'Aoste n'a qu'un délégué. — *(3)* L'élection du Président de la République a lieu au scrutin secret et à la majorité des deux tiers de l'Assemblée. Après le troisième tour la majorité absolue est suffisante.

ART. 84. — *(1)* Peut être élu Président de la République tout citoyen ayant cinquante ans révolus et jouissant de ses droits civils et politiques (...).

ART. 85. — *(1)* Le Président de la République est élu pour sept ans (...).

ART. 86. — *(1)* Les fonctions du Président de la République, dans tous les cas où il ne pourrait les remplir, sont exercées par le Président du Sénat. — *(2)* En cas d'empêchement permanent, de décès ou de démission du Président de la République, le Président de la Chambre des députés fixe l'élection du nouveau Président de la République (...).

ART. 87. — *(1)* Le Président de la République est le Chef de l'Etat et représente l'unité nationale. — *(2)* Il peut adresser des messages aux Chambres (...). — *(4)* Il autorise la présentation aux Chambres des projets de loi dus à l'initiative gouvernementale. — *(5)* Il promulgue les lois et les décrets ayant force de loi ainsi que les règlements (...). — *(7)* Il nomme, dans les cas indiqués par la loi, les fonctionnaires de l'Etat. — *(8)* Il accrédite et reçoit les représentants diplomatiques, ratifie les traités internationaux, le cas échéant, avec l'autorisation préalable des Chambres. — *(9)* Il a le commandement des Forces armées, préside le Conseil suprême de Défense institué selon la loi, déclare l'état de guerre décidé par les Chambres. — *(10)* Il préside le Conseil supérieur de la Magistrature. — *(11)* Il peut accorder la grâce et commuer les peines (...).

ART. 88. — *(1)* Le Président de la République peut, après avoir entendu leurs Présidents, dissoudre les Chambres ou même une seule d'entre elles. — *(2)* Il ne peut exercer ce pouvoir durant les six derniers mois de son mandat.

ART. 89. — *(1)* Aucun acte du Président de la République n'est valable s'il n'est contresigné par les ministres qui l'ont proposé, et qui en assument la responsabilité. — *(2)* Les actes qui ont force de loi et les autres actes prévus par la loi sont contresignés également par le Président du Conseil des Ministres.

ART. 90. — *(1)* Le Président de la République n'est pas tenu pour responsable des actes accomplis dans l'exercice de ses fonctions, sauf en cas de haute trahison ou d'attentat à la Constitution. — *(2)* Dans ces derniers cas, il est mis en état d'accusation par le Parlement réuni en séance commune, à la majorité absolue de ses membres.

. . . .

TITRE III. — Le Gouvernement

Ire SECTION. — *Le Conseil des Ministres*

ART. 92. — *(1)* Le Gouvernement de la République est composé du Président du Conseil et des Ministres, qui constituent ensemble le Conseil des Ministres. — *(2)* Le Président de la République nomme le Président du Conseil des Ministres et, sur proposition de ce dernier, les Ministres.

. . . .

ART. 94. — *(1)* Le Gouvernement doit avoir la confiance des deux Chambres. — *(2)* Chaque Chambre accorde ou révoque la confiance au moyen d'une motion motivée et votée par appel nominal. — *(3)* Dans un délai de dix jours après sa formation, le Gouvernement se présente devant les Chambres pour en obtenir la confiance. — *(4)* Le vote contraire d'une ou des deux Chambres sur une proposition du Gouvernement n'entraîne pas obligatoirement la démission de ce dernier. — *(5)* La motion contraire (4) doit être signée par au moins un dixième des membres de la Chambre, et elle ne peut faire l'objet de débats que trois jours après sa présentation.

ART. 95. — *(1)* Le Président du Conseil des Ministres dirige la politique générale du Gouvernement et en est responsable. Il maintient l'unité d'orientation politique et administrative en favorisant et en coordonnant l'activité des Ministres. — *(2)* Les Ministres sont responsables solidairement des actes du Conseil des Ministres et, individuellement, des actes de leurs départements. — *(3)* La loi établit l'organisation de la Présidence du Conseil et fixe le nombre, les attributions et l'organisation des Ministères.

ART. 96. — Le Président du Conseil des Ministres et les Ministres sont mis en état d'accusation par le Parlement, réuni en séance conjointe, pour les délits commis dans l'exercice de leurs fonctions (5).

. . . .

TITRE V. — Les Régions, les Provinces et les Communes

ART. 114. — La République se divise en Régions, Provinces et Communes.

ART. 115. — Les Régions sont constituées en organismes autonomes ayant des pouvoirs particuliers et des fonctions qui leur sont propres, selon les principes établis par la Constitution.

ART. 116. — A la Sicile, à la Sardaigne, au Trentin-Haut Adige,

(4) Il s'agit de la motion de censure.

(5) Ils sont jugés par la Cour constitutionnelle (art. 134). Pour les délits commis hors de l'exercice de leurs fonctions, ils sont sujets à l'application de la loi pénale et civile normale, compte tenu de l'immunité parlementaire, lorsqu'ils sont membres du Parlement.

au Frioul-Vénétie Julienne et à la Vallée d'Aoste sont attribuées des formes et des conditions particulières d'autonomie, aux termes de statuts spéciaux adoptés par des lois constitutionnelles.

Art. 117. — *(1)* La Région édicte pour les matières suivantes des règlements législatifs, dans les limites des principes fondamentaux établis par les lois de l'Etat, pourvu que ces mêmes règlements ne soient pas en contraste avec l'intérêt national ou avec celui d'autres Régions : réglementation des services et des organismes administratifs dépendant de la Région; circonscriptions communales; police locale urbaine et rurale; foires et marchés; assistance publique, sanitaire et hospitalière; instruction artisanale et professionnelle et assistance scolaire; musées et bibliothèques des pouvoirs locaux; urbanisme; tourisme et industrie hôtelière; tramways et lignes automobiles d'intérêt régional; voirie, aqueducs et travaux publics d'intérêt régional; navigation et ports lacustres; eaux minérales et thermales; carrières et tourbières; chasse; pêche dans les eaux intérieures; agriculture et forêts; artisanat; autres matières prévues par des lois constitutionnelles. — *(2)* Les lois de la République peuvent déléguer à la Région le pouvoir de prendre des dispositions pour l'application de ces lois.

Art. 118. — *(1)* Les fonctions administratives ayant trait aux matières indiquées à l'article précédent sont du ressort de la Région, hormis celles d'intérêt exclusivement local, qui peuvent être attribuées par les lois de la République aux Provinces, aux Communes et à d'autres pouvoirs locaux. — *(2)* L'Etat peut, par une loi, déléguer à la Région l'exercice d'autres fonctions administratives. — *(3)* La Région exerce normalement ses fonctions administratives en les déléguant aux Provinces, aux Communes ou à d'autres pouvoirs locaux, ou bien en recourant à leurs services.

Art. 119. — *(1)* Les Régions sont financièrement autonomes, dans les formes et dans les limites établies par des lois de la République, qui coordonnent cette autonomie avec les finances de l'Etat, des Provinces et des Communes. — *(2)* Aux Régions sont attribuées des contributions particulières et une partie des contributions du Trésor Public, en raison des besoins des Régions, pour les dépenses qui leur sont nécessaires pour l'accomplissement de leurs fonctions normales. — *(3)* Afin de répondre à des nécessités déterminées, et particulièrement pour mettre en valeur le Midi et les Iles, l'Etat assigne par une loi à chaque Région des subventions spéciales. — *(4)* La Région a un domaine et un patrimoine particuliers selon les modalités établies par la loi de la République.

Art. 120. — *(1)* La Région ne peut pas instituer de taxes à l'importation, à l'exportation ou de transit entre les régions. — *(2)* Elle ne peut adopter de mesures entravant en aucune façon la libre circulation des individus et des choses entre les régions. — *(3)* Elle ne peut limiter le droit des citoyens à exercer dans toutes les parties du territoire national leur profession, leur emploi ou leur travail.

Art. 121. — *(1)* Les organes de la Région sont : le Conseil régional, la *Giunta* ou Comité régional, et son président. — *(2)* Le Conseil régional exerce les pouvoirs législatifs et de réglementation attribués à la Région et les autres fonctions qui lui sont conférées par la Constitution et par les lois (6). Il peut soumettre des propositions de loi aux Chambres. — *(3)* Le Comité régional est l'organe exécutif de la Région. — *(4)* Le Président de la Région représente la Région; il promulgue les lois et les règlements régionaux; il dirige les fonctions administratives déléguées par l'Etat à la Région, en se conformant aux instructions du Gouvernement central.

Art. 122. — (...). — *(2)* Nul ne peut appartenir à la fois à un Conseil régional et à une des Chambres du Parlement ou à un autre Conseil régional (...). — *(3)* Le Président et les membres de la *Giunta* sont élus par le Conseil régional parmi ses propres représentants.

Art. 123. — *(1)* Chaque Région a un Statut qui, en harmonie avec la Constitution et avec les lois de la République, établit les modalités relatives à l'organisation intérieure de la Région. Ce Statut réglemente l'exercice du droit d'initiative et de référendum sur les lois et les dispositions administratives de la Région (...). — *(2)* Le Statut est délibéré par le Conseil régional à la majorité absolue de ses membres, et il est approuvé par une loi de la République.

Art. 124. — Un Commissaire du Gouvernement, résidant au chef-lieu de la Région, préside aux fonctions administratives exercées par l'Etat et les coordonne avec celles qui sont exercées par la Région (7).

Art. 125. — *(1)* Le contrôle de légalité sur les actes administratifs de la Région est exercé, sous une forme décentralisée, par un organe de l'Etat, selon les modalités et dans les limites fixées par les lois de la République. La loi, en des cas déterminés, peut admettre le contrôle de fond dans le seul but de promouvoir, par une requête motivée, un nouvel examen de la délibération de la part du Conseil régional (...).

Art. 126. — *(1)* Le Conseil régional peut être dissous lorsqu'il accomplit des actes contraires à la Constitution ou de graves violations de la loi, ou bien lorsqu'il n'obtempère pas à l'invitation du Gouvernement de relever l'Assemblée régionale ou le Président qui a commis des actes ou des violations analogues. — *(2)* Il peut être dissous, à la suite de démissions ou en présence de l'impossibilité de

(6) L'art. 83 de la Constitution attribue aux Conseils régionaux le droit de désigner ceux de leurs représentants qui doivent siéger, auprès des sénateurs et députés, au Parlement réuni en séance plénière et conjointe pour l'élection du Président de la République. Les art. 75 et 132 attribuent aux Conseils régionaux le droit de demander un référendum populaire.

(7) Le Commissaire du Gouverneur doit aussi, aux termes de l'art. 127, apposer son visa aux lois régionales.

former une majorité, quand il n'est pas à même de fonctionner. — *(3)* Il peut être également dissous pour des raisons de sécurité nationale. — *(4)* La dissolution est prescrite par un décret motivé du Président de la République, après avis d'une Commission de députés et de sénateurs formée, pour les questions régionales, selon les modalités fixées par la loi de la République (...).

ART. 127. — *(1)* Toute loi approuvée par le Conseil régional est notifiée au Commissaire qui, à moins d'une opposition de la part du Gouvernement, doit y apposer son visa dans un délai de trente jours à partir de cette communication. — *(2)* La loi est promulguée dans un délai de dix jours après l'apposition du visa et elle n'entre en vigueur qu'après quinze jours à partir de sa publication (...). — *(3)* Le Gouvernement de la République, lorsqu'il estime qu'une loi adoptée par le Conseil régional dépasse la compétence de la Région ou est en contradiction avec les intérêts nationaux ou avec ceux des autres Régions, la renvoie au Conseil régional dans le délai fixé pour l'apposition du visa. — *(4)* Si le Conseil régional l'approuve de nouveau à la majorité absolue de ses membres, le Gouvernement de la République, dans un délai de quinze jours à partir de sa communication, peut soulever la question de légalité devant la Cour Constitutionnelle, ou bien la question de fond pour conflit d'intérêts devant les Chambres. En cas de doute, la Cour décide à qui appartient la compétence.

. . . .

TITRE VI. — **Garanties constitutionnelles**

Ire SECTION. — *La Cour Constitutionnelle*

ART. 134. — La Cour Constitutionnelle prononce : sur les litiges relatifs à la légalité constitutionnelle des lois et des actes ayant force de loi de l'Etat et de la Région; sur les conflits d'attribution entre les pouvoirs de l'Etat, entre l'Etat et les Régions, et entre les Régions; sur les accusations portées contre le Président de la République et les Ministres, aux termes de la Constitution (8).

ART. 135. — *(1)* La Cour Constitutionnelle se compose de quinze juges nommés pour un tiers par le Président de la République, pour un tiers par le Parlement réuni en séance commune et pour un tiers par les magistratures suprêmes, ordinaire et administrative. — *(2)* Les juges de la Cour Constitutionnelle sont choisis parmi les magistrats, même retraités, des juridictions supérieures, ordinaire et administrative, les professeurs de droit d'Université et les avocats ayant au moins vingt ans de profession. — *(3)* Les juges sont nommés pour neuf ans, à partir du jour où ils ont prêté serment et ne peuvent être réélus (...). — *(5)* La Cour Constitutionnelle élit parmi

(8) A ces matières, la loi constitutionnelle n° 1 du 11 mars 1953 en a ajouté une autre : *le jugement sur l'admissibilité de toute demande de référendum pour l'abrogation de lois.*

ses membres, suivant les normes arrêtées par la loi, son Président, dont le mandat dure trois ans et qui peut être réélu, en respectant, en tout cas, les délais de cessation de ses fonctions de juge. — *(6)* La fonction de juge à la Cour est incompatible avec celle de membre du Parlement ou d'un Conseil régional, avec l'exercice de la profession d'avocat et avec toutes les charges et tous les offices indiqués par la loi. — *(7)* En cas de jugement d'accusation contre le Président de la République ou contre les Ministres, outre les juges ordinaires de la Cour, interviennent aussi seize membres tirés au sort parmi les noms d'une liste de citoyens présentant les qualités requises pour être éligibles sénateurs, que le Parlement dresse tous les neuf ans, suivant les mêmes modalités que pour la nomination des juges ordinaires.

ART. 136. — *(1)* Lorsque la Cour déclare l'illégalité constitutionnelle d'une disposition de loi ou d'un acte ayant force de loi, cette disposition cesse d'être en vigueur dès le lendemain de la publication de la décision (...).

. . . .

IIe SECTION. — *Révision de la Constitution. Lois constitutionnelles*

ART. 138. — *(1)* Les lois de révision de la Constitution et les autres lois constitutionnelles sont adoptées par chacune des Assemblées en deux délibérations successives, formulées à distance d'au moins trois mois, et elles sont approuvées à la majorité absolue des membres de chaque Chambre au second tour de scrutin. — *(2)* Ces mêmes lois sont soumises à un référendum populaire lorsque, dans un délai de trois mois à partir de leur publication, demande en est faite par un cinquième des membres d'une Chambre ou par cinq cent mille électeurs ou par cinq Conseils régionaux. La loi soumise au référendum n'est pas promulguée, si elle n'est pas approuvée à la majorité des suffrages valables. — *(3)* Le référendum n'a pas lieu si la loi a été approuvée au second scrutin par chacune des deux Chambres à la majorité des deux tiers de ses membres.

ART. 139. — La forme républicaine ne peut faire l'objet d'une révision constitutionnelle.

DISPOSITIONS DE TRANSITION ET FINALES

. . . .

XII. — La réorganisation, sous quelque forme que ce soit, du parti fasciste dissous est interdite (...).

XIII. — Les membres et les descendants de la Maison de Savoie ne sont pas électeurs et ne peuvent remplir ni fonctions publiques ni charges électives. Aux anciens souverains de la Maison de Savoie, à leurs épouses et à leurs descendants mâles sont interdits l'entrée et le séjour sur le territoire national (...).

. . . .

CHAPITRE VI

L'ESPAGNE

Constitution du 29 décembre 1978 (1)

. . . .

TITRE IV. — Du Gouvernement et de l'administration

. . . .

ART. 99. — *(1)* A la suite de chaque renouvellement du Congrès des Députés et dans les autres hypothèses constitutionnelles qui le prévoient, le Roi, après consultation des représentants désignés par les groupes politiques représentés au parlement et par l'intermédiaire du président du Congrès, proposera un candidat à la Présidence du Gouvernement. — *(2)* Le candidat proposé conformément aux dispositions du paragraphe précédent exposera devant le Congrès des Députés le programme politique du Gouvernement qu'il entend former et sollicitera la confiance de la Chambre. — *(3)* Si le Congrès des Députés, par un vote à la majorité absolue de ses membres, accorde sa confiance audit candidat, le Roi le nomme Président du Gouvernement. Si cette majorité n'est pas atteinte, la même proposition sera de nouveau soumise au vote quarante-huit heures après le précédent, et la confiance sera réputée accordée si elle obtient la majorité simple. — *(4)* Si après ces votes la confiance pour l'investiture n'est pas accordée, les propositions suivantes prendront la forme prévue aux paragraphes précédents. — *(5)* Si dans un délai de deux mois à dater du premier vote d'investiture aucun candidat n'a obtenu la confiance du Congrès, le Roi dissout les deux Chambres et convoque de nouvelles élections avec le contreseing du président du Congrès.

(1) Traduction de M. le Pr DUHAMEL et de MM. CARCASSONNE et VINTRO (*Pouvoirs*, 1979, n° 8, pp. 131 ss., et n° 11, p. 208). Pour gagner de la place, les alinéas, au sein de chaque article, ne sont indiqués que par leur numéro : — *(1)*, — *(2)*, etc.

Art. 100. — Les autres membres du Gouvernement seront nommés et révoqués par le Roi, sur proposition de son Président.

. . . .

Titre V. — Des relations entre Gouvernement et « Cortès Generales »

Art. 108. — Le Gouvernement répond solidairement de sa gestion politique devant le Congrès des Députés.

. . . .

Art. 111. — *(1)* Le Gouvernement et chacun de ses membres sont soumis aux interpellations et questions formulées dans les Chambres. Les règlements prévoiront un temps hebdomadaire minimum pour ce type de débat. — *(2)* Toute interpellation pourra donner lieu à une motion dans laquelle la Chambre manifestera sa position.

Art. 112. — Le président du Gouvernement, après délibération du Conseil des Ministres, peut poser au Congrès des Députés la question de confiance sur son programme ou sur une déclaration de politique générale. La confiance sera réputée accordée si la majorité simple des députés vote en sa faveur.

Art. 113. — *(1)* Le Congrès des Députés peut engager la responsabilité politique du Gouvernement par l'adoption d'une motion de censure à la majorité absolue. — *(2)* La motion de censure devra être proposée par le dixième au moins des députés, et devra présenter un candidat à la présidence du Gouvernement. — *(3)* La motion de censure ne pourra être votée avant un délai de cinq jours suivant son dépôt. Dans les deux premiers jours de ce délai, des motions alternatives pourront être présentées. — *(4)* Si la motion de censure n'était pas approuvée par le Congrès, ses signataires ne pourraient en présenter une autre dans la même session.

Art. 114. — *(1)* Si le Congrès refuse sa confiance au Gouvernement, celui-ci présente sa démission au Roi, et il est aussitôt procédé à la désignation du président du Gouvernement, selon les dispositions de l'art. 99. — *(2)* Si le Congrès adopte une motion de censure, le Gouvernement présente sa démission au Roi et le candidat spécifié par la motion est réputé investi de la confiance de la Chambre au sens prévu à l'art. 99. Le Roi le nomme président du Gouvernement.

Art. 115. — *(1)* Le président du Gouvernement, après délibération du Conseil des Ministres et sous sa responsabilité exclusive, pourra proposer la dissolution du Congrès, du Sénat ou des *Cortès Generales*, qui sera décrétée par le Roi. Le décret de dissolution fixera la date des élections. — *(2)* La proposition de dissolution ne pourra être présentée si une procédure de motion de censure est en cours. — *(3)* Il ne pourra être procédé à deux dissolutions à moins d'un an d'intervalle, sauf dans le cas prévu à l'art. 99 al. 5.

. . . .

TITRE IX. — Du Tribunal Constitutionnel

ART. 159. — *(1)* Le Tribunal Constitutionnel est composé de douze membres nommés par le Roi. De ceux-ci, quatre sur proposition du Congrès à la majorité des 3/5e de ses membres; quatre sur proposition du Sénat à la même majorité; deux sur proposition du Gouvernement, et deux sur proposition du Conseil Général du Pouvoir Judiciaire. — *(2)* Les membres du Tribunal Constitutionnel devront être choisis parmi les magistrats du siège et du parquet, les professeurs d'université, les fonctionnaires publics et avocats, tous étant des juristes de compétence reconnue et ayant au moins quinze ans d'exercice professionnel. — *(3)* Les membres du Tribunal Constitutionnel seront nommés pour neuf ans et renouvelables par tiers tous les trois ans (2). — *(4)* La qualité de membre du Tribunal Constitutionnel est incompatible : avec tout mandat représentatif, avec toute charge politique ou administrative, avec l'exercice de fonctions de direction dans un parti politique ou un syndicat et avec l'emploi à leur service, avec l'exercice des carrières de juge du siège ou du parquet, et avec toute activité professionnelle ou commerciale. Les membres du Tribunal Constitutionnel, en outre, seront soumis à toutes les incompatibilités propres aux membres du Pouvoir Judiciaire. — *(5)* Les membres du Tribunal Constitutionnel seront indépendants et inamovibles dans l'exercice de leur mandat.

ART. 160. — Le président du Tribunal Constitutionnel sera nommé par le Roi parmi ses membres sur proposition du Tribunal lui-même en assemblée plénière et pour une durée de trois ans.

ART. 161. — *(1)* Le Tribunal Constitutionnel exerce sa juridiction sur tout le territoire espagnol et est compétent pour connaître : *a)* du recours d'inconstitutionnalité contre les lois et dispositions normatives ayant force de loi. La déclaration d'inconstitutionnalité d'une norme juridique ayant rang de loi, interprétée par la jurisprudence, s'imposera à celle-ci, sans que la ou les sentences déjà rendues perdent la force de chose jugée; *b)* du recours d'*amparo* pour violation des droits et libertés visés à l'art. 53 § 2 de la présente Constitution, dans les cas et formes prévus par la loi; *c)* des conflits de compétence entre l'Etat et les Communautés Autonomes ou de celles-ci entre elles; *d)* des autres matières que lui confient la Constitution et les lois organiques. — *(2)* Le Gouvernement pourra déférer au Tribunal Constitutionnel les dispositions et décisions adoptées par les organes des Communautés Autonomes. Le recours entraînera la suspension de la disposition ou de la décision déférée,

(2) La loi organique du 3 octobre 1979 relative au fonctionnement du Tribunal dispose dans son art. 16-2 : « Aucun magistrat ne pourra être proposé au Roi pour une nouvelle période immédiate, sauf s'il avait occupé la charge pour une période inférieure à trois ans » (trad. *in* LAVROFF, *Les institutions politiques de l'Espagne*, Notes et études documentaires, 1981, nos 4629-4630).

mais le Tribunal devra la confirmer ou la lever dans un délai maximum de cinq mois (3).

Art. 162. — *(1)* Sont habilités : *a)* à former le recours d'inconstitutionnalité, le président du Gouvernement, le *Defensor del Pueblo*, cinquante députés, cinquante sénateurs, les présidents des organes exécutifs collégiaux des Communautés Autonomes et, le cas échéant, les assemblées de celles-ci; *b)* à former le recours d'*amparo*, toute personne physique ou morale qui invoque un intérêt légitime, tout comme le *Defensor del Pueblo* et le ministère public. — *(2)* Dans les autres cas, la loi organique déterminera les personnes et organes recevables à agir.

Art. 163. — Lorsqu'un organe judiciaire considère, dans un procès, qu'une norme ayant rang de loi applicable à l'espèce, dont la validité conditionne la sentence, pourrait être contraire à la Constitution, il posera la question au Tribunal Constitutionnel dans les conditions, la forme et avec les effets que la loi établit et qui en aucun cas ne seront suspensifs.

Art. 164. — *(1)* Les sentences du Tribunal Constitutionnel seront publiées au *Boletín oficial* de l'Etat, les opinions dissidentes étant jointes, s'il en existe. Elles ont l'autorité de chose jugée dès le jour qui suit leur publication et ne sont susceptibles d'aucun recours. Celles qui déclarent l'inconstitutionnalité d'une loi ou d'une norme ayant force de loi et toutes celles qui ne se limitent pas à l'appréciation subjective d'un droit s'imposent à tous en totalité. — *(2)* Sauf s'il en est autrement décidé dans la sentence, la loi restera en vigueur dans celles de ses parties non affectées par l'inconstitutionnalité.

. . . .

(3) Le recours d'*amparo*, transcription moderne d'une procédure ancienne, doit permettre la protection des citoyens contre des atteintes à leurs droits et libertés.

Chapitre VII

L'UNION SOVIÉTIQUE

Constitution du 7 octobre 1977 (1)

La Grande Révolution socialiste d'Octobre accomplie par les ouvriers et les paysans de Russie sous la direction du Parti communiste conduit par V. I. Lénine a renversé le pouvoir des capitalistes et des grands propriétaires fonciers, brisé les chaînes de l'oppression, instauré la dictature du prolétariat et créé l'Etat soviétique, Etat de type nouveau, instrument essentiel de la défense des conquêtes révolutionnaires, de l'édification du socialisme et du communisme. L'humanité amorçait un tournant historique à l'échelle mondiale du capitalisme vers le socialisme.

Sorti victorieux de la guerre civile, après avoir repoussé l'intervention impérialiste, le pouvoir soviétique a réalisé les transformations sociales et économiques les plus profondes, il a mis fin pour toujours à l'exploitation de l'homme par l'homme, aux antagonismes de classe et à l'hostilité entre les nations. L'association des Républiques soviétiques en une Union des Républiques socialistes soviétiques a multiplié les forces et les possibilités des peuples du pays pour l'édification du socialisme. La propriété sociale des moyens de production et une démocratie authentique pour les masses laborieuses sont affirmées. Pour la première fois dans l'histoire de l'humanité, une société socialiste a été édifiée.

La puissance du socialisme s'est manifestée de façon éclatante avec l'exploit impérissable du peuple soviétique et de ses forces armées, qui ont remporté une victoire historique dans la Grande Guerre nationale. Cette victoire a affermi l'autorité et les positions internationales de l'URSS, elle a ouvert des perspectives nouvelles et favorables à l'essor des forces du socialisme, de libération nationale, de démocratie et de paix dans le monde entier.

(1) Traduction de M. le Pr Lesage, *Les institutions de l'URSS* (Documents d'études, n° 1.02, Documentation française, mars 1978). Voir aussi la traduction de M. et Mme Lavigne, *Regards sur la Constitution soviétique de 1977*, Paris, Economica, 1979, pp. 81 ss. Pour gagner de la place, les alinéas, au sein de chaque article, ne sont indiqués que par leur numéro : — *(1)*, — *(2)*, etc.

Poursuivant leur œuvre créatrice, les travailleurs de l'Union soviétique ont assuré un développement rapide du pays dans tous les domaines, le perfectionnement du régime socialiste. L'alliance de la classe ouvrière, de la paysannerie kolkhozienne et de l'*intelligentsia* issue du peuple, l'amitié des nations et des ethnies de l'URSS se sont consolidées. L'unité sociale, politique et idéologique de la société soviétique, dont la force motrice est la classe ouvrière, s'est réalisée. Une fois menées à bien les tâches de la dictature du prolétariat, l'Etat soviétique est devenu l'Etat du peuple entier. Le rôle dirigeant du Parti communiste, avant-garde de tout le peuple, s'est accru.

En URSS a été édifiée une société socialiste évoluée (2). A cette étape, où le socialisme progresse sur sa base propre, les forces créatrices du nouveau régime et les avantages du mode de vie socialiste se révèlent toujours plus complètement, les travailleurs bénéficient toujours plus largement des fruits des grandes conquêtes révolutionnaires.

C'est une société dans laquelle ont été créées de puissantes forces productives, une science et une culture avancées, une société dans laquelle le bien-être du peuple va sans cesse croissant et où les conditions sont toujours plus favorables à un développement complet de l'individu.

C'est une société où les rapports sociaux socialistes sont venus à maturité, et dans laquelle, sur la base du rapprochement de toutes les classes et couches sociales, d'une égalité de droit et de fait de toutes les nations et ethnies, de leur coopération fraternelle, s'est formée une nouvelle communauté humaine historique, le peuple soviétique.

C'est une société de haut niveau d'organisation, d'idéologie et de conscience des travailleurs, patriotes et internationalistes.

C'est une société où il est de règle que tous se soucient du bien de chacun et chacun se soucie du bien de tous.

C'est une société de démocratie authentique, dont le système politique garantit une gestion efficace de toutes les affaires sociales, une participation toujours plus active des travailleurs à la vie de l'Etat, où les droits et libertés réels des citoyens sont indissociables de leurs devoirs et de leur responsabilité à l'égard de la société.

La société socialiste évoluée est une étape rationnelle sur le chemin du communisme.

Le but suprême de l'Etat soviétique est de construire une société communiste sans classes où se développera l'auto-administration (3) sociale communiste. Les tâches essentielles de l'Etat socialiste du peuple entier sont les suivantes : créer la base matérielle et technique du communisme, perfectionner les rapports sociaux socialistes et

(2) M. et Mme LAVIGNE traduisent : *société socialiste avancée*.
(3) Les mêmes : *autogestion*.

les transformer en rapports communistes, former l'homme de la société communiste, élever le niveau de vie et de culture des travailleurs, garantir la sécurité du pays, contribuer au renforcement de la paix et au développement de la coopération internationale.

Le peuple soviétique :

— guidé par les idées du communisme scientifique et fidèle à ses traditions révolutionnaires;
— fort des grandes conquêtes sociales, économiques et politiques du socialisme;
— soucieux d'un développemnt continu de la démocratie socialiste;
— tenant compte de la situation internationale de l'Urss en tant que partie intégrante du système socialiste mondial et conscient de sa responsabilité internationale;
— maintenant la continuité des idées et des principes de la première Constitution soviétique de 1918, de la Constitution de l'Urss de 1924 et de la Constitution de l'Urss de 1936;
— consacre les fondements de la structure sociale et de la politique de l'Urss, fixe les droits, les libertés et les obligations des citoyens, les principes d'organisation et les buts de l'Etat socialiste du peuple entier, et les proclame dans la présente Constitution.

I. — Les fondements de la structure sociale et de la politique de l'URSS

Chapitre Premier. — **Le système politique**

Article Premier. — L'Union des Républiques socialistes soviétiques est un Etat socialiste du peuple entier, qui exprime la volonté et les intérêts des ouvriers, des paysans et des intellectuels, des travailleurs de toutes les nations et ethnies du pays.

Art. 2. — *(1)* Tout le pouvoir en Urss appartient au peuple. — *(2)* Le peuple exerce le pouvoir d'Etat par l'intermédiaire des Soviets des députés du peuple, qui constituent la base politique de l'Urss. — *(3)* Tous les autres organes d'Etat sont soumis au contrôle des Soviets des députés du peuple et dépendent d'eux.

Art. 3. — L'organisation et l'activité de l'Etat soviétique sont établies conformément au principe du centralisme démocratique : élection de tous les organes du pouvoir d'Etat de la base au sommet, obligation de rendre compte de leur activité au peuple, caractère obligatoire des décisions des organes supérieurs pour les organes inférieurs. Le centralisme démocratique allie la direction unique à l'initiative et à l'activité créatrice locales, à la responsabilité de chaque organe d'Etat et de chaque fonctionnaire pour la mission qui lui est assignée.

Art. 4. — *(1)* L'Etat soviétique, l'ensemble de ses organes fonctionnent sur la base de la légalité socialiste, assurent la protection de l'ordre juridique, des intérêts de la société et des droits et libertés des citoyens (...).

Art. 5. — Les questions les plus importantes de la vie de l'Etat sont soumises à la discussion populaire ainsi qu'au vote populaire.

Art. 6. — *(1)* Le Parti communiste de l'Union soviétique est la force qui dirige et oriente la société soviétique; il est le noyau de son système politique, des organisations d'Etat et des organisations sociales. Le PCUS existe pour le peuple et est au service du peuple. — *(2)* Armé de la doctrine marxiste-léniniste, le Parti communiste définit la perspective générale du développement de la société, les orientations de la politique intérieure et étrangère de l'URSS, il dirige la grande œuvre créatrice du peuple soviétique, confère un caractère organisé et scientifiquement fondé à sa lutte pour la victoire du communisme (...).

Art. 7. — Les syndicats, l'Union des Jeunesses communistes léninistes de l'URSS, les organisations coopératives et autres organisations sociales participent, conformément à leurs objectifs statutaires, à la gestion des affaires de l'Etat et des affaires sociales, au règlement des questions politiques, économiques, sociales et culturelles.

Art. 8. — *(1)* Les collectifs de travailleurs participent à la discussion et au règlement des affaires de l'Etat et des affaires sociales, à la planification de la production et du développement social, à la formation et à la répartition des cadres, à la discussion et au règlement des questions de gestion des entreprises et des administrations, d'amélioration des conditions de travail et de vie quotidienne, d'utilisation des fonds destinés au développement de la production ainsi qu'aux mesures sociales et culturelles et à l'encouragement matériel. — *(2)* Les collectifs de travailleurs développent l'émulation socialiste, favorisent la diffusion des méthodes de travail avancées, le renforcement de la discipline au travail, éduquent leurs membres dans l'esprit de la morale communiste, se soucient d'élever leur niveau de conscience politique, de culture et de qualification professionnelle.

Art. 9. — L'orientation fondamentale du développement du système politique de la société soviétique est l'approfondissement continu de la démocratie socialiste : une participation toujours plus large des citoyens à la gestion des affaires de l'Etat et de la société, le perfectionnement de l'appareil d'Etat, l'intensification de l'activité des organisations sociales, le renforcement du contrôle populaire, l'affermissement de la base juridique de la vie de l'Etat et de la société, l'élargissement de la publicité, la prise en considération permanente de l'opinion publique.

Chapitre II. — **Le système économique**

Art. 10. — *(1)* Le système économique de l'URSS est fondé sur la propriété socialiste des moyens de production sous la forme de la propriété d'Etat (du peuple entier) et de la propriété kolkhozienne et coopérative. — *(2)* Les biens des syndicats et des autres organisations sociales, nécessaires à la réalisation de leurs tâches statutaires, sont également propriété socialiste. — *(3)* L'Etat protège la propriété socialiste et crée les conditions de son accroissement. — *(4)* Nul n'a le droit d'utiliser la propriété socialiste à des fins lucratives personnelles et à d'autres fins intéressées.

ART. 11. — *(1)* La propriété d'Etat est le bien commun de tout le peuple soviétique, la forme principale de la propriété socialiste. — *(2)* L'Etat détient en propriété exclusive : la terre, le sous-sol, les eaux, les forêts. Sont propriété d'Etat les principaux moyens de production dans l'industrie, le bâtiment et l'agriculture, les moyens de transport et de communication, les banques, les biens des entreprises du commerce, des services communaux et des autres entreprises organisées par l'Etat, la majeure partie du fonds locatif urbain, ainsi que les autres biens nécessaires à la réalisation des tâches de l'Etat.

ART. 12. — *(1)* La propriété des kolkhozes, des autres organisations coopératives et de leurs groupements est constituée des moyens de production et des autres biens qui leur sont nécessaires pour accomplir leurs tâches statutaires. — *(2)* La terre occupée par les kolkhozes leur est remise en jouissance perpétuelle et gratuite. — *(3)* L'Etat contribue à développer la propriété kolkhozienne et coopérative et à la rapprocher de la propriété d'Etat (...).

ART. 13. — *(1)* Les revenus issus du travail constituent le fondement de la propriété personnelle des citoyens de l'URSS. Peuvent être propriété personnelle les objets d'usage, d'utilisation et de commodité personnelles, les biens de l'économie domestique auxiliaire, une maison d'habitation et les épargnes provenant du travail. La propriété personnelle des citoyens et le droit d'en hériter sont protégés par l'Etat. — *(2)* Les citoyens peuvent avoir en jouissance des parcelles de terre qui leur sont attribuées selon les modalités établies par la loi pour pratiquer l'économie auxiliaire (incluant bétail et volaille), le jardinage et la culture potagère, ainsi que pour construire des habitations individuelles. Les citoyens ont l'obligation d'utiliser rationnellement les parcelles de terre qui leur sont attribuées. L'Etat et les kolkhozes aident les citoyens à pratiquer l'économie auxiliaire (...).

ART. 14. — *(1)* Le travail des Soviétiques, affranchi de l'exploitation, est la source de la croissance de la richesse sociale, du bien-être du peuple et de chaque Soviétique. — *(2)* Conformément au principe du socialisme : « De chacun selon ses capacités, à chacun selon son travail », l'Etat exerce le contrôle de la mesure du travail et de la consommation. Il fixe le montant de l'impôt sur les revenus imposables. — *(3)* Le travail socialement utile et ses résultats déterminent la situation de l'homme dans la société. L'Etat, en alliant les stimulants matériels et moraux, en encourageant les initiatives novatrices et l'attitude créatrice dans le travail, contribue à faire du travail le premier besoin vital de chaque Soviétique.

. . . .

Art. 16. — *(1)* L'économie de l'Urss constitue un ensemble économique complexe qui englobe tous les maillons de la production sociale, de la répartition et de l'échange sur le territoire du pays. — *(2)* L'économie est dirigée sur la base des plans d'Etat de développement économique et social, en tenant compte des principes sectoriel et territorial, en combinant la gestion centralisée avec l'autonomie et l'initiative économiques des entreprises, groupements et autres organisations. A cette fin, il est fait largement appel au calcul économique, au coût et aux autres leviers et stimulants économiques.

Art. 17. — En Urss, le travail individuel est admis conformément à la loi dans les petits métiers et les activités artisanales, l'agriculture, les services à la population, ainsi que d'autres types d'activité fondés exclusivement sur le travail personnel des citoyens et des membres de leur famille. L'Etat réglemente les activités productives individuelles, en assurant leur utilisation dans l'intérêt de la société.

. . . .

Chapitre III. — **Le développement social et la culture**

Art. 19. — *(1)* La base sociale de l'Urss est constituée par l'union indéfectible des ouvriers, des paysans et des intellectuels. — *(2)* L'Etat contribue au renforcement de l'homogénéité sociale de la société : à l'effacement des différences de classe, des différences existant entre la ville et la campagne, entre le travail intellectuel et le travail manuel, au développement complet et au rapprochement de toutes les nations et ethnies de l'Urss.

Art. 20. — Conformément à l'idéal communiste : « Le libre développement de chacun est la condition du libre développement de tous », l'Etat se fixe pour objectif d'étendre les possibilités réelles permettant aux citoyens d'appliquer leurs énergies créatrices, leurs capacités et leurs dons, de développer harmonieusement leur personnalité.

. . . .

II. — L'Etat et l'individu

Chapitre VI. — **La citoyenneté de l'URSS L'égalité en droits des citoyens**

. . . .

Art. 34. — *(1)* Les citoyens de l'Urss sont égaux devant la loi indépendamment de leur origine, de leur situation sociale et matérielle, de leur appartenance raciale et nationale, de leur sexe, de leur niveau d'instruction, de leur langue, de leur attitude vis-à-vis de la religion, du genre et du caractère de leurs occupations, de leur lieu de résidence et autres circonstances. — *(2)* L'égalité en droits des citoyens de l'URSS est garantie dans tous les domaines de la vie économique, politique, sociale et culturelle.

. . . .

CHAPITRE VII. — **Les droits fondamentaux, les libertés et les obligations fondamentales des citoyens de l'URSS**

ART. 39. — *(1)* Les citoyens de l'URSS jouissent dans toute leur plénitude des libertés et droits sociaux, économiques, politiques et personnels proclamés et garantis par la Constitution de l'URSS et les lois soviétiques. Le régime socialiste assure l'extension des droits et des libertés, l'amélioration constante des conditions de vie des citoyens au fur et à mesure de l'exécution des programmes de développement social, économique et culturel. — *(2)* L'exercice par les citoyens des droits et libertés ne doit pas porter préjudice aux intérêts de la société et de l'Etat, aux droits des autres citoyens.

ART. 40. — *(1)* Les citoyens de l'URSS ont droit au travail — c'est-à-dire de recevoir un emploi garanti et dont la rémunération est fonction de la quantité et la qualité du travail fourni et n'est pas inférieure au minimum fixé par l'Etat. Le droit au travail comprend le droit de choisir la profession, le type d'occupation et d'emploi conformes à leur vocation, à leurs capacités, à leur formation professionnelle, à leur niveau d'instruction, mais en tenant compte des besoins de la société. — *(2)* La réalisation de ce droit est assurée par le système économique socialiste, l'accroissement constant des forces productives, la formation professionnelle gratuite, l'amélioration de la qualification et le recyclage, le développement des systèmes d'orientation et d'insertion professionnelles.

ART. 41. — *(1)* Les citoyens de l'URSS ont droit au repos. — *(2)* La réalisation de ce droit est assurée par l'établissement pour les ouvriers et les employés d'une semaine de travail ne dépassant pas 41 heures, par la journée de travail réduite pour toute une série de professions et de productions, par la durée réduite du travail de nuit; par l'otroi de congés payés annuels, de jours de repos hebdomadaire, ainsi que par l'extension du réseau des établissements culturels, éducatifs et de santé, le développement du sport de masse, de l'éducation physique et du tourisme; par la création de possibilités de détente sur les lieux de résidence et d'autres conditions permettant une utilisation judicieuse des loisirs (...).

ART. 42. — *(1)* Les citoyens de l'URSS ont droit à la protection de la santé. — *(2)* La réalisation de ce droit est assurée par une assistance médicale qualifiée et gratuite (...).

ART. 43. — *(1)* Les citoyens de l'URSS ont droit à la sécurité matérielle dans la vieillesse, en cas de maladie, de perte complète ou partielle de leur capacité de travail ainsi qu'en cas de disparition du soutien de famille. — *(2)* Ce droit est garanti par la sécurité sociale dont bénéficient les ouvriers, les employés et les kolkhoziens (...).

ART. 44. — *(1)* Les citoyens de l'URSS ont droit au logement. — *(2)* La réalisation de ce droit est assurée par le développement et la protection du fonds d'habitat de l'Etat et des organisations sociales, par l'aide accordée à la construction d'habitations, coopérative et individuelle, par une juste répartition, sous contrôle social, des logements attribués au fur et à mesure de la réalisation du programme de construction de logements confortables, ainsi que par le coût modéré des loyers et des charges. Les citoyens de l'URSS doivent prendre soin des logements qui leur sont attribués.

ART. 45. — *(1)* Les citoyens de l'URSS ont droit à l'instruction. — *(2)* La réalisation de ce droit est assurée par la gratuité de toutes les formes d'instruction, par l'instruction secondaire générale et obligatoire pour la jeunesse, par une large extension de la formation professionnelle et technique, de l'instruction secondaire spécialisée et supérieure, coordonnant l'enseignement avec la vie et la production (...).

ART. 46. — *(1)* Les citoyens de l'URSS ont droit à bénéficier des réalisations de la culture (...).

ART. 47. — *(1)* La liberté de création scientifique, technique et artistique est garantie aux citoyens de l'URSS conformément aux objectifs de l'édification du communisme (...).

ART. 48. — *(1)* Les citoyens de l'URSS ont le droit de participer à la gestion des affaires de l'Etat et des affaires sociales, à la discussion et à l'adoption des lois et décisions de portée fédérale et locale. — *(2)* La réalisation de ce droit est assurée par la possibilité d'élire et d'être élu aux Soviets des députés du peuple et autres organes électifs de l'Etat, de participer aux discussions populaires et aux référendums, au contrôle populaire, à l'activité des organes d'Etat, des organisations sociales et des organismes d'initiative sociale, aux assemblées des collectifs de travailleurs et aux assemblées locales.

ART. 49. — *(1)* Chaque citoyen de l'URSS a le droit d'adresser des suggestions aux organes d'Etat et aux organisations sociales, concernant l'amélioration de leur activité, et de critiquer les défauts de leur fonctionnement. — *(3)* Il est interdit d'infliger des sanctions pour faits de critique. Les personnes qui infligent des sanctions pour faits de critique engagent leur responsabilité.

ART. 50. — *(1)* Conformément aux intérêts du peuple et afin de consolider et de développer le régime socialiste, les libertés de parole, de la presse, de réunion, de meeting, de défilé et de manifestation de rue sont garanties aux citoyens de l'URSS (...).

ART. 51. — *(1)* Conformément aux objectifs de l'édification du communisme, les citoyens de l'URSS ont le droit de s'associer en organisations sociales qui contribuent au développement de leur activité politique, de leurs initiatives et à la satisfaction de leurs intérêts les plus divers (...).

ART. 52. — *(1)* Les citoyens de l'URSS se voient garantir la liberté de conscience, c'est-à-dire le droit de professer n'importe quelle religion ou de n'en professer aucune, de célébrer les cultes religieux ou de faire la propagande de l'athéisme. Toute incitation à l'hostilité et à la haine liée à des croyances religieuses est interdite (...).

. . . .

Art. 54. — L'inviolabilité de la personne est garantie aux citoyens de l'Urss. Nul ne peut être arrêté autrement que sur la base d'une décision judiciaire ou avec celle du procureur.

Art. 55. — L'inviolabilité du domicile est garantie aux citoyens de l'Urss. Nul n'a le droit, sans motif légal, de pénétrer dans un domicile contre la volonté de ses habitants.

Art. 56. — La privée des citoyens, le secret de la correspondance, des conversations téléphoniques et des communications télégraphiques sont protégés par la loi.

Art. 57. — *(1)* Tous les organes d'Etat, toutes les organisations sociales et les fonctionnaires sont tenus de veiller au respect de la personne, de protéger les droits et libertés des citoyens. — *(2)* Les citoyens de l'Urss ont droit à la protection de la justice contre les atteintes à leur honneur et à leur dignité, à leur vie et à leur santé, à leur liberté individuelle et à leurs biens.

. . . .

Art. 59. — *(1)* L'exercice des droits et des libertés est inséparable de l'exécution de ses obligations par le citoyen. — *(2)* Le citoyen de l'Urss est tenu de se conformer à la Constitution de l'Urss et aux lois soviétiques, de respecter les règles de la vie en société socialiste et de porter dignement le haut titre de citoyen de l'Urss.

Art. 60. — Le travail en conscience dans le secteur d'activité socialement utile qu'il a choisi, le respect, la discipline du travail sont une obligation et une affaire d'honneur pour chaque citoyen valide de l'Urss. Le refus d'effectuer un travail socialement utile est incompatible avec les principes de la société socialiste.

Art. 61. — *(1)* Le citoyen de l'Urss est tenu de préserver et d'affermir la propriété socialiste. Le devoir du citoyen de l'Urss est de s'opposer au vol et à la dilapidation des biens de l'Etat et des organisations sociales, de prendre soin des biens du peuple. — *(2)* Les personnes portant atteinte à la propriété socialiste sont punies selon la loi.

Art. 62. — *(1)* Le citoyen de l'Urss est tenu de préserver les intérêts de l'Etat soviétique, de contribuer au renforcement de sa puissance et de son prestige. — *(2)* La défense de la patrie socialiste est le devoir sacré de tout citoyen de l'Urss. — *(3)* La trahison de la patrie est le crime le plus grave commis à l'encontre du peuple.

Art. 63. — Le service militaire dans les rangs des forces armées de l'Urss est un devoir d'honneur pour les citoyens soviétiques.

Art. 64. — Le devoir de chaque citoyen de l'Urss est de respecter la dignité nationale des autres citoyens et de renforcer l'amitié des nations et peuples de l'Etat soviétique multinational.

Art. 65. — Le citoyen de l'Urss est tenu de respecter les droits et les intérêts légitimes d'autrui, d'être intransigeant à l'égard des manquements antisociaux, de prêter tout le concours possible au maintien de l'ordre public.

ART. 66. — Les citoyens de l'URSS sont tenus de veiller à l'éducation des enfants, de les préparer à un travail socialement utile, d'en faire de dignes membres de la société socialiste (...).

. . . .

III. — L'organisation étatique nationale de l'URSS

CHAPITRE VIII. — L'URSS : Etat fédéral

ART. 70. — *(1)* L'Union des Républiques socialistes soviétiques est un Etat multinational fédéral uni, constitué selon le principe du fédéralisme socialiste par suite de la libre autodétermination des nations et de l'association librement consentie des Républiques socialistes soviétiques égales en droits (...).

. . . .

ART. 72. — Chaque République fédérée conserve le droit de se séparer librement de l'URSS.

ART. 73. — Sont de la compétence de l'Union des Républiques socialistes soviétiques, en la personne de ses organes supérieurs du pouvoir d'Etat et de l'administration d'Etat : 1) L'admission de nouvelles Républiques au sein de l'URSS; l'approbation de la formation de nouvelles Républiques autonomes et régions autonomes au sein des Républiques fédérées; 2) La détermination du tracé des frontières d'Etat de l'URSS et la ratification des modifications des frontières entre les Républiques fédérées; 3) L'établissement des principes généraux d'organisation et d'activité des organes républicains et locaux du pouvoir d'Etat et de l'administration d'Etat; 4) La garantie de l'unité de la réglementation législative sur tout le territoire de l'URSS, l'établissement des fondements de la législation de l'Union des Républiques socialistes soviétiques et des Républiques fédérées; 5) L'application d'une politique économique et sociale unique, la direction de l'économie du pays; la détermination des principales orientations du progrès scientifique et technique et des mesures générales pour l'utilisation rationnelle et la protection des ressources naturelles; l'élaboration et l'approbation des plans d'Etat de développement économique et social de l'URSS; l'approbation des comptes rendus de leur exécution; 6) L'élaboration et l'approbation du budget d'Etat unique de l'URSS, l'approbation du bilan de son exécution; la direction du système unique monétaire et de crédit; l'établissement des impôts et des recettes entrant dans la composition du budget d'Etat de l'URSS; la définition de la politique des prix et de la rémunération du travail; 7) La direction des secteurs de l'économie nationale, des groupements et entreprises relevant de la compétence fédérale;

la direction générale des secteurs relevant de l'autorité fédérale républicaine; 8) Les questions de la guerre et de la paix, la défense de la souveraineté, la protection des frontières d'Etat et du territoire de l'URSS, l'organisation de la défense, la direction des forces armées de l'URSS; 9) La garantie de la sécurité de l'Etat; 10) La représentation de l'URSS dans les relations internationales; les rapports de l'URSS avec les Etats étrangers et les organisations internationales; la définition des modalités générales et la coordination des relations des Républiques fédérées avec les Etats étrangers et les organisations internationales; le commerce extérieur et les autres formes d'activité économique extérieure sur la base du monopole de l'Etat; 11) Le contrôle du respect de la Constitution de l'URSS et la garantie de la conformité des Constitutions des Républiques fédérées avec la Constitution de l'URSS; 12) Le règlement des autres questions d'importance fédérale.

ART. 74. — Les lois de l'URSS ont force égale sur le territoire de toutes les Républiques fédérées. En cas de divergence entre la loi d'une République fédérée et la loi fédérale, cette dernière prévaut.

ART. 75. — *(1)* Le territoire de l'Union des Républiques socialistes soviétiques est un et englobe le territoire des Républiques fédérées. — *(2)* La souveraineté de l'URSS s'étend à tout son territoire.

CHAPITRE IX. — **La République socialiste soviétique fédérée**

ART. 76. — *(1)* La République fédérée est un Etat socialiste soviétique souverain uni aux autres Républiques soviétiques au sein de l'Union des Républiques socialistes soviétiques. — *(2)* En dehors des limites indiquées dans l'art. 73 de la Constitution de l'URSS, la République fédérée exerce de façon autonome le pouvoir d'Etat sur son territoire. — *(3)* La République fédérée a sa Constitution, qui est conforme à la Constitution de l'URSS et qui tient compte des particularités de la République.

ART. 77. — *(1)* La République fédérée participe au règlement des questions qui relèvent de la compétence de l'Union, au Soviet suprême de l'URSS, au Présidium du Soviet suprême de l'URSS, au Gouvernement de l'URSS et au sein des autres organes de l'Union des Républiques socialistes soviétiques. — *(2)* La République fédérée assure le développement économique et social diversifié sur son territoire, contribue à l'exercice, sur ce territoire, des prérogatives de l'Union, met en œuvre les décisions des organes supérieurs du pouvoir d'Etat et de l'administration d'Etat de l'URSS. — *(3)* Pour les questions relevant de sa compétence, la République fédérée coordonne et contrôle l'activité des entreprises, des administrations et organisations relevant de la compétence fédérale.

ART. 78. — Le territoire de la République fédérée ne peut être modifié sans son consentement. Les frontières entre Républiques fédérées peuvent être modifiées par consentement mutuel des Républiques concernées, cette décision devant être entérinée par l'Union des Républiques socialistes soviétiques.

ART. 79. — La République fédérée définit sa division en territoires, régions, districts autonomes et districts, et statue sur les autres questions relatives à son organisation administrative et territoriale.

ART. 80. — La République fédérée a le droit d'entrer en relations avec les Etats étrangers, de conclure des traités avec eux et d'échanger des représentants diplomatiques et consulaires, de participer aux activités des organisations internationales.

ART. 81. — Les droits souverains des Républiques fédérées sont protégés par l'Union des Républiques socialistes soviétiques.

CHAPITRE X. — **La République socialiste soviétique autonome**

ART. 82. — *(1)* La République autonome fait partie d'une République fédérée. — *(2)* La République autonome, en dehors des limites des droits fédéraux et de la République fédérée, statue de façon autonome sur les questions qui relèvent de sa compétence. — *(3)* La République autonome a sa Constitution qui est conforme à la Constitution de l'URSS et à la Constitution de la République fédérée et qui tient compte des particularités de la République autonome.

ART. 83. — *(1)* La République autonome participe au règlement des questions qui relèvent de la compétence de l'Union et de la République fédérée par l'intermédiaire des organes supérieurs du pouvoir d'Etat et de l'administration d'Etat respectivement de l'URSS et de la République fédérée. — *(2)* La République autonome assure le développement économique et social diversifié sur son territoire, contribue à l'exercice, sur ce territoire, des compétences de l'URSS et de la République fédérée, met en œuvre les décisions des organes supérieurs du pouvoir d'Etat et de l'administration d'Etat de l'URSS et de la République fédérée. — *(3)* Pour les questions relevant de sa compétence, la République autonome coordonne et contrôle l'activité des entreprises, administrations et organisations relevant de l'autorité fédérale et républicaine de la République fédérée.

ART. 84. — Le territoire de la République autonome ne peut être modifié sans son consentement.

. . . .

CHAPITRE XI. — **La région autonome et l'arrondissement autonome**

ART. 86. — La région autonome fait partie de la République fédérée ou du territoire (4). La loi sur la region autonome est adoptée

(4) Sur les notions de territoire, région, district, voir art. 79.

par le Soviet suprême de la République fédérée sur proposition du Soviet des députés du peuple de la région autonome.

. . . .

Art. 88. — L'arrondissement autonome fait partie d'un territoire ou d'une région. La loi sur les arrondissements autonomes est adoptée par le Soviet suprême de la République fédérée.

IV. — Les Soviets des députés du peuple et la procédure de leur élection

Chapitre XII. — Le système et les principes d'activité des Soviets des députés du peuple

Art. 89. — Les Soviets des députés du peuple : Soviet suprême de l'Urss, Soviets suprêmes des Républiques fédérées, Soviets suprêmes des Républiques autonomes, Soviets des députés du peuple des territoires et des régions, Soviets des députés du peuple des régions autonomes et des arrondissements, Soviets des députés du peuple des arrondissements, des villes, des arrondissements urbains, des localités et des villages, constituent un système unique d'organes du pouvoir d'Etat.

Art. 90. — *(1)* La durée du mandat du Soviet suprême de l'Urss, des Soviets suprêmes des Républiques fédérées et des Soviets suprêmes des Républiques autonomes est de cinq ans. — *(2)* La durée du mandat des Soviets locaux des députés du peuple est de deux ans et demi (...).

Art. 91. — *(1)* Les questions les plus importantes relevant de la compétence des Soviets des députés du peuple concernés sont examinées et réglées lors de leurs sessions. — *(2)* Les Soviets des députés du peuple élisent des commissions permanentes, créent des organes exécutifs administratifs ainsi que d'autres organes qui dépendent d'eux.

Art. 92. — *(1)* Les Soviets des députés du peuple procèdent à la formation des organes du contrôle populaire qui allie le contrôle d'Etat au contrôle social exercé par les travailleurs dans les entreprises, les kolkhozes, les administrations et les organisations. — *(2)* Les organes du contrôle populaire contrôlent l'exécution des tâches et des plans d'Etat, ils mènent la lutte contre les infractions à la discipline d'Etat, contre les manifestations de particularisme local et sectoriel, l'incurie et le gaspillage, les lenteurs administratives et le bureaucratisme, ils contribuent à un meilleur fonctionnement de l'appareil d'Etat.

Art. 93. — Les Soviets des députés du peuple assument, directement et par l'intermédiaire des organes qu'ils créent, la gestion de tous les secteurs de l'édification étatique, économique, sociale et culturelle, ils prennent les décisions, garantissent leur exécution et exercent le contrôle de leur mise en œuvre.

. . . .

CHAPITRE XIII. — Le système électoral

ART. 95. — Les élections des députés à tous les Soviets des députés du peuple se font au suffrage universel, égal et direct et au scrutin secret.

ART. 96. — *(1)* Les élections des députés se font au suffrage universel : tous les citoyens de l'URSS ayant atteint l'âge de 18 ans ont le droit d'élire et d'être élus, à l'exception des personnes reconnues aliénées (...). — *(2)* Peuvent être élus députés au Soviet suprême de l'URSS les citoyens de l'URSS ayant atteint l'âge de 21 ans.

ART. 97. — Les élections des députés se font au suffrage égal (...).

ART. 98. — Les élections des députés se font au suffrage direct (...).

ART. 99. — Les élections des députés se font au scrutin secret (...).

ART. 100. — *(1)* Le droit de présenter les candidats à la députation appartient aux organisations du Parti communiste de l'Union soviétique, aux syndicats, à l'Union des Jeunesses communistes léninistes de l'URSS, aux organisations coopératives et autres organisations sociales, aux collectifs de travailleurs, ainsi qu'aux assemblées du personnel des unités militaires. — *(2)* Les citoyens de l'URSS et les organisations sociales se voient garantir la discussion libre et complète des qualités politiques, professionnelles et personnelles des candidats à la députation, ainsi que celle de faire campagne au cours de réunions, dans la presse, à la télévision et à la radio (...).

. . . .

ART. 102. — *(1)* Les électeurs donnent des recommandations à leurs députés (...).

CHAPITRE XIV. — Le député du peuple

ART. 103. — *(1)* Les députés sont les représentants mandatés du peuple dans les Soviets des députés du peuple. — *(2)* En participant à l'activité des Soviets, les députés statuent sur les questions d'édification étatique, économique, sociale et culturelle; organisent la mise en œuvre des décisions des Soviets, contrôlent l'activité des organes d'Etat, des entreprises, des administrations et des organisations. — *(3)* Dans son activité, le député s'inspire des intérêts généraux de l'Etat, il prend en compte les demandes de la population de sa circonscription électorale et s'attache à réaliser les recommandations des électeurs.

ART. 104. — *(1)* Le député exerce son mandat sans abandonner son activité à la production ou dans les services. — *(2)* Pour la durée des sessions du Soviet, de même que pour l'exercice de son mandat dans les autres cas prévus par la loi, le député est libéré de l'exercice de ses obligations à la production ou dans les services (...).

ART. 105. — *(1)* Le député a le droit de poser des questions aux organes d'Etat et aux fonctionnaires concernés, qui sont tenus d'y répondre à la session du Soviet. — *(2)* Le député est en droit de s'adresser à tous les organes d'Etat, aux organismes sociaux, aux entreprises, aux administrations, aux organisations pour toute question afférente à son activité de député, et de prendre part à l'examen des questions qu'il a soulevées. Les responsables des organes d'Etat et des organismes sociaux, des entreprises, des administrations et des organisations concernés sont tenus de recevoir sans tarder le député et d'examiner ses propositions dans les délais impartis.

ART. 106. — *(1)* Le député se voit garantir les conditions lui permettant d'exercer sans obstacles et effectivement ses droits et ses obligations (...).

ART. 107. — *(1)* Le député est tenu de rendre compte de son activité et de celle du Soviet aux électeurs, ainsi qu'aux collectifs et aux organisations sociales qui ont proposé sa candidature à la députation. — *(2)* Le député qui n'a pas justifié la confiance des électeurs peut être rappelé à tout moment par décision de la majorité des électeurs, selon la procédure établie par la loi.

V. — Les organes supérieurs du pouvoir d'Etat et de l'administration d'Etat de l'URSS

CHAPITRE XV. — Le Soviet suprême de l'URSS

ART. 108. — *(1)* Le Soviet suprême de l'URSS est l'organe supérieur du pouvoir d'Etat de l'URSS. — *(2)* Le Soviet suprême de l'URSS est compétent pour statuer sur toutes les questions qui, aux termes de la présente Constitution, sont de la compétence de l'Union des Républiques socialistes soviétiques. — *(3)* L'adoption de la constitution de l'URSS et de ses amendements; l'admission de nouvelles Républiques au sein de l'URSS; l'approbation de la formation de nouvelles Républiques autonomes et de nouvelles régions autonomes; l'approbation des plans d'Etat de développement économique et social de l'URSS, du budget d'Etat de l'URSS et des comptes rendus de leur exécution; la constitution des organes de la fédération qui dépendent de lui sont de la compétence exclusive du Soviet suprême de l'URSS. — *(4)* Les lois de l'URSS sont adoptées par le Soviet suprême de l'URSS, ou par voie de vote populaire (référendum) organisé sur décision du Soviet suprême de l'URSS.

ART. 109. — *(1)* Le Soviet suprême de l'URSS se compose de deux Chambres : le Soviet de l'Union et le Soviet des Nationalités. — *(2)* Les Chambres du Soviet suprême de l'URSS sont égales en droit.

ART. 110. — *(1)* Le Soviet de l'Union et le Soviet des Nationalités se composent d'un nombre égal de députés. — *(2)* Le Soviet de l'Union est élu par circonscriptions électorales comportant un nombre égal d'habitants. *(3)* — Le Soviet des Nationalités est élu à raison de : trente-deux députés par République fédérée, onze députés par République autonome, cinq députés par région autonome et un député par district autonome (...).

. . . .

ART. 112. — *(1)* Les sessions du Soviet suprême de l'URSS sont convoquées deux fois par an. — *(2)* Les sessions extraordinaires sont convoquées par le Présidium du Soviet suprême de l'URSS sur son initiative ou sur proposition d'une République fédérée ou d'au moins un tiers des députés de l'une des Chambres (...).

ART. 113. — *(1)* L'initiative des lois au Soviet suprême de l'URSS appartient au Soviet de l'Union et au Soviet des Nationalités, au Présidium du Soviet suprême de l'URSS, au Conseil des Ministres de l'URSS, aux Républiques fédérées en la personne de leurs organes supérieurs du pouvoir d'Etat, aux Commissions du Soviet suprême de l'URSS et aux Commissions permanentes de ses Chambres, aux députés du Soviet suprême de l'URSS, à la Cour suprême de l'URSS et au procureur général de l'URSS. — *(2)* L'initiative des lois appartient également aux organisations sociales en la personne de leurs organes fédéraux.

ART. 114. — *(2)* Une loi de l'URSS est considérée comme adoptée si, dans chacune des Chambres du Soviet suprême de l'URSS, elle a recueilli la majorité du nombre total des députés de cette Chambre. Les décisions et autres actes du Soviet suprême de l'URSS sont adoptés à la majorité du nombre total des députés du Soviet suprême de l'URSS. — *(3)* Les projets de lois et autres questions les plus importantes de la vie de l'Etat peuvent être soumis à la discussion populaire par décision du Soviet suprême de l'URSS ou du Présidium du Soviet suprême de l'URSS prise à leur initiative ou sur proposition d'une République fédérée.

ART. 115. — En cas de désaccord entre le Soviet de l'Union et le Soviet des Nationalités, la question est renvoyée pour règlement devant une Commission de conciliation constituée par les Chambres sur une base paritaire; la question est ensuite examinée une seconde fois par le Soviet de l'Union et le Soviet des Nationalités réunis en séance commune. Si, également, dans ce cas, aucun accord n'intervient, la question est renvoyée à la discussion de la session suivante du Soviet suprême de l'URSS ou bien est soumise par ce dernier au vote populaire (référendum).

. . . .

ART. 117. — Le député du Soviet suprême de l'URSS a le droit d'adresser des questions au Conseil des Ministres de l'URSS, aux ministres et aux dirigeants des autres organes formés par le Soviet suprême de l'URSS (...).

. . . .

ART. 119. — Le Soviet suprême de l'URSS élit en séance commune des Chambres le Présidium du Soviet suprême de l'URSS, organe permanent du Soviet suprême de l'URSS, qui dépend de lui pour toute son activité et qui exerce, dans les limites fixées par la

Constitution, les fonctions de l'organe supérieur du pouvoir d'Etat de l'URSS dans l'intervalle des sessions de celui-ci.

ART. 120. — Le Présidium du Soviet suprême de l'URSS est élu parmi les députés et composé du président du Présidium du Soviet suprême, du premier vice-président, des 15 vice-présidents — un par République fédérée —, du secrétaire du Présidium et des 21 membres du Présidium du Soviet suprême de l'URSS.

ART. 121. — Le Présidium du Soviet suprême de l'URSS : 1) Fixe les élections au Soviet suprême de l'URSS; 2) Convoque les sessions du Soviet suprême de l'URSS; 3) Coordonne l'activité des Commissions permanentes des Chambres du Soviet suprême de l'URSS; 4) Assure le contrôle du respect de la Constitution de l'URSS et garantit la conformité des Constitutions et des lois des Républiques fédérées avec la Constitution et les lois de l'URSS; 5) Interprète les lois de l'URSS; 6) Ratifie et dénonce les traités internationaux de l'URSS; 7) Annule les arrêtés et ordonnances du Conseil des Ministres de l'URSS et des Conseils des Ministres des Républiques fédérées au cas où ils ne sont pas conformes à la loi; 8) Etablit les grades militaires, les rangs diplomatiques et autres titres spéciaux; confère les grades militaires supérieurs, rangs diplomatiques et autres titres spéciaux; 9) Institue les ordres et médailles de l'URSS; établit les titres honorifiques de l'URSS; décerne les ordres et médailles de l'URSS; confère les titres honorifiques de l'URSS; 10) Accorde la citoyenneté de l'URSS et de l'octroi de l'asile; 11) Edicte les actes fédéraux sur l'amnistie et exerce le droit de grâce; 12) Nomme et rappelle les représentants diplomatiques de l'URSS dans les Etats étrangers et auprès des organisations internationales; 13) Reçoit les lettres de créance et de rappel des représentants diplomatiques des Etats étrangers accrédités auprès de lui; 14) Procède à la constitution du Conseil de la défense de l'URSS et approuve sa composition, nomme et relève le haut commandement des forces armées de l'URSS; 15) Déclare, dans l'intérêt de la défense de l'URSS, l'état de siège dans certaines régions ou dans tout le pays; 16) Déclare la mobilisation générale ou partielle; 17) Dans l'intervalle des sessions du Soviet suprême de l'URSS, déclare l'état de guerre en cas d'agression militaire contre l'URSS ou en cas de nécessité d'exécuter les obligations découlant des traités internationaux de défense commune contre l'agression; 18) Exerce les autres attributions établies par la Constitution et les lois de l'URSS.

ART. 122. — Le Présidium du Soviet suprême de l'URSS, dans l'intervalle des sessions du Soviet suprême de l'URSS et sous réserve de ratification par ce dernier à sa session suivante : 1) Apporte en cas de nécessité des amendements aux actes législatifs en vigueur de l'URSS; 2) Approuve les modifications de frontières entre les Républiques fédérées; 3) Sur proposition du Conseil des Ministres de l'URSS, procède à la formation ou à la suppression des ministères de l'URSS et des comités d'Etat de l'URSS; 4) Sur proposition du président du Conseil des Ministres de l'URSS, relève de leur fonction et nomme les personnes faisant partie du Conseil des Ministres de l'URSS.

ART. 123. — Le Présidium du Soviet suprême de l'URSS rend les décrets et adopte des arrêtés.

. . . .

ART. 125. — *(1)* Le Soviet de l'Union et le Soviet des Nationalités élisent en leur sein des Commissions permanentes composées de députés chargées de procéder à l'examen préalable et à la préparation des questions qui sont de la compétence du Soviet suprême de l'URSS, ainsi que de contribuer à la mise en œuvre des lois de l'URSS et autres décisions du Soviet suprême de l'URSS et de son Présidium, et de contrôler l'activité des organes et des organisations d'Etat. Les Chambres du Soviet suprême de l'URSS peuvent également créer des Commissions communes sur une base paritaire. — *(2)* Le Soviet suprême de l'URSS désigne, quand il le juge nécessaire, des Commissions d'enquête, de vérification et d'autres commissions sur n'importe quelle question (...).

ART. 126. — *(1)* Le Soviet suprême de l'URSS contrôle l'activité de tous les organes d'Etat qui dépendent de lui. — *(2)* Le Soviet suprême de l'URSS procède à la formation du Comité de contrôle populaire de l'URSS, qui dirige le système des organes du contrôle populaire (...).

. . . .

CHAPITRE XVI. — **Le Conseil des Ministres de l'URSS**

ART. 128. — L'organe exécutif et administratif supérieur du pouvoir d'Etat de l'URSS est le Conseil des Ministres de l'URSS, Gouvernement de l'URSS.

ART. 129. — *(1)* Le Conseil des Ministres de l'URSS est formé par le Soviet suprême de l'URSS en séance commune du Soviet de l'Union et du Soviet des Nationalités et comprend : le président du Conseil des Ministres de l'URSS, les premiers vice-présidents et les vice-présidents, les ministres de l'URSS, les présidents des Comités d'Etat de l'URSS. — *(2)* Les présidents des Conseils des Ministres des Républiques fédérées sont membres du droit du Conseil des Ministres de l'URSS (...).

ART. 130. — *(1)* Le Conseil des Ministres de l'URSS est responsable devant le Soviet suprême de l'URSS et dépend de lui ; dans l'intervalle des sessions du Soviet suprême de l'URSS, il est responsable devant le Présidium du Soviet suprême de l'URSS dont il dépend (...).

ART. 131. — *(1)* Le Conseil des Ministres de l'URSS est compétent pour statuer sur toutes les questions d'administration de l'Etat qui sont de la compétence de l'Union des Républiques socialistes soviétiques pour autant qu'elles ne relèvent pas, conformément à la Constitution, de la compétence du Soviet suprême de l'URSS et du Présidium du Soviet suprême de l'URSS. — *(2)* Le Conseil des Ministres de l'URSS, dans les limites de ses attributions : 1) Assure la direction de l'économie nationale et de l'édification sociale et culturelle; élabore et met en application les mesures destinées à assurer l'élévation du niveau de vie et de culture du peuple, à développer la science et la technique, à utiliser rationnellement et à préserver les ressources naturelles, à affermir le système monétaire et de crédit, à promouvoir une politique unique des prix, de la rémunération du travail et de la sécurité sociale, à organiser les assurances d'Etat et un système unique de comptabilité et de statistique; organise la gestion des entreprises et des groupements industriels, agricoles, du bâtiment, des entreprises de transport et de communications, des banques, ainsi que d'autres organisations et administrations relevant de la compétence fédérale; 2) Elabore et soumet au Soviet suprême de l'URSS les plans d'Etat à court terme et à long terme de développement économique et social de l'URSS, le budget d'Etat de l'URSS; prend des mesures pour exécuter les plans et le budget d'Etat (...); 3) Met en œuvre des mesures en vue de préserver les intérêts de l'Etat, de protéger la propriété socialiste et de maintenir l'ordre public, de garantir et de défendre les droits et libertés des citoyens; 4) Prend des mesures en vue d'assurer la sécurité de l'Etat; 5) Assume la direction générale de l'organisation des forces armées de l'URSS (...); 6) Assure la direction générale des relations avec les Etats étrangers, du commerce extérieur, de la coopération économique, scientifique, technique et culturelle de l'URSS avec les pays étrangers; prend des mesures pour assurer l'exécution des traités internationaux de l'URSS; ratifie et dénonce les traités internationaux intergouvernementaux; 7) Forme, en cas de nécessité, des comités, des directions générales et autres départements relevant du Conseil des Ministres de l'URSS pour les questions économiques, sociales, culturelles et d'organisation de la défense.

ART. 132. — Pour résoudre les questions relatives à la direction de l'économie nationale et les autres questions de l'administration de l'Etat, le Présidium du Conseil des Ministres de l'URSS, composé du président du Conseil des Ministres de l'URSS, des premiers vice-présidents et des vice-présidents, fonctionne en qualité d'un organe permanent du Conseil des Ministres de l'URSS (5).

ART. 133. — Le Conseil des Ministres de l'URSS, sur la base et en exécution des lois de l'URSS et autres décisions du Soviet suprême de l'URSS et de son Présidium, adopte des arrêtés et ordonnances (...).

ART. 134. — Le Conseil des Ministres de l'URSS a le droit, pour les questions qui sont de la compétence de l'URSS, de suspendre

(5) La loi du 24 juin 1981 ajoute : « D'autres membres du gouvernement de l'URSS peuvent faire partie du Présidium du Conseil des Ministres de l'URSS sur décision du Conseil des Ministres de l'URSS. »

l'exécution des arrêtés et ordonnances des Conseils des Ministres des Républiques fédérées, ainsi que d'annuler les actes des ministères de l'URSS, des comités d'Etat de l'URSS et des autres organes qui relèvent de son autorité.

ART. 135. — *(1)* Le Conseil des Ministres de l'URSS coordonne et oriente l'activité des ministères fédéraux et fédéraux-républicains et des comités d'Etat de l'URSS, ainsi que des autres organes qui relèvent de son autorité. — *(2)* Les ministères fédéraux et les comités d'Etat de l'URSS dirigent les secteurs de l'administration dont ils ont la charge ou exercent la direction intersectorielle sur tout le territoire de l'URSS, directement ou par l'intermédiaire des organes créés par eux. — *(3)* Les ministères fédéraux-républicains et les comités d'Etat de l'URSS dirigent les secteurs de l'administration dont ils ont la charge ou exercent la direction intersectorielle, en règle générale, par l'intermédiaire des ministères, des comités d'Etat, et des autres organes concernés des Républiques fédérées, et administrent directement certains groupements et entreprises relevant de l'autorité fédérale (...).

. . . .

VII. — La justice, l'arbitrage et la surveillance du procureur

. . . .

CHAPITRE XXI. — La procurature

ART. 164. — La surveillance suprême de l'exécution stricte et uniforme des lois par tous les ministères, comités d'Etat et départements, par les entreprises, les administrations et les organisations, par les organes exécutifs et administratifs des Soviets locaux des députés du peuple, par les kolkhozes, les coopératives et les autres organisations sociales, par les fonctionnaires, ainsi que par les citoyens incombe au Procureur général de l'URSS et aux procureurs qui lui sont subordonnés.

ART. 165. — Le Procureur général de l'URSS est nommé par le Soviet suprême de l'URSS, il est responsable devant ce dernier et dépend de lui; dans l'intervalle des sessions du Soviet suprême, il est responsable devant le Présidium du Soviet suprême de l'URSS dont il dépend.

ART. 166. — Les procureurs des Républiques fédérées, des Républiques autonomes, des territoires, des régions et des régions autonomes sont nommés par le Procureur général de l'URSS. Les procureurs des arrondissements autonomes, les procureurs d'arrondissement et de ville sont nommés par les procureurs des Républiques fédérées et confirmés par le Procureur général de l'URSS.

ART. 167. — La durée du mandat du Procureur général de l'URSS et de tous les procureurs qui lui sont subordonnés est de cinq ans.

ART. 168. — *(1)* Les organes de la Procurature exercent leurs attributions indépendamment des organes locaux quels qu'ils soient et ne relèvent que du Procureur général de l'URSS (...).

. . . .

IX. — La force obligatoire de la Constitution de l'URSS et la procédure de révision

ART. 173. — La Constitution de l'URSS a une force juridique supérieure. Toutes les lois et autres actes des organes d'Etat sont adoptés sur la base de la Constitution de l'URSS et en conformité avec celle-ci.

ART. 174. — La Constitution de l'URSS est modifiée sur décision du Soviet suprême de l'URSS, adoptée à la majorité des deux tiers au moins du nombre total des députés de chacune de ses Chambres.

TABLE DES MATIÈRES

Imprimé en France
Imprimerie des Presses Universitaires de France
73, avenue Ronsard, 41100 Vendôme
Décembre 1984 — N° 30 512